INTRODUCTION AUX FONDEMENTS DU POLITIQUE

INTRODUCTION AUX FONDEMENTS DU POLITIQUE

Thierry Hentsch

1993
Presses de l'Université du Québec
2875, boul. Laurier, Sainte-Foy (Québec) G1V 2M3

Données de catalogage avant publication (Canada)

Hentsch, Thierry

Introduction aux fondements du politique

Comprend des réf. bibliogr.

ISBN 2-7605-0700-9

1. Science politique. 2. État. 3. Idées politiques.
4. Organisation internationale. 5. Religion et politique.
6. Nationalité. I. Titre.

JA71.H46 1993 320 C93-096873-5

Illustration de la page couverture :
© 1938 M. C. Escher Foundation, Baarn, Holland. Tous droits réservés.

ISBN 2-7605-0700-9

Tous droits de reproduction, de traduction
et d'adaptation réservés © 1993
Presses de l'Université du Québec

Dépôt légal – 2e trimestre 1993
Bibliothèque nationale du Québec
Bibliothèque nationale du Canada
Imprimé au Canada

TABLE DES MATIÈRES

Avant-propos IX

Chapitre 1
Identité, altérité et question nationale 1

1. Les fondements de l'identité 3
2. Les formes de l'identité collective 7
   - 2.1. La forme nationale-étatique de l'identité 8
   - 2.2. Les autres formes géographiques et historiques de l'identité collective 11
   - 2.3. L'appartenance sociale 14
3. La fonction de l'altérité 17
4. La question nationale 20

Chapitre 2
L'État moderne dans la société mondiale 25

1. Les éléments de la question 25
2. Renaissance et « temps du monde » 28
3. L'État territorial et la société civile 33
4. La modernité et l'État moderne 35
   - 4.1. Limites philosophiques et scientifiques de la modernité 37
   - 4.2. La modernité en tant que projet politique 39
   - 4.3. L'utilité du concept de nation 40
   - 4.4. L'ambiguïté du concept de nation 43
5. La dynamique de la modernisation 46
   - 5.1. La société civile industrielle 46

5.2. La modernisation : un phénomène d'une complexité croissante 48
5.3. La situation de l'État moderne 50

Chapitre 3
Le politique et le religieux 55
1. Les idées reçues sur la religion 56
2. Vers une définition politique du sacré 59
2.1. Une quête de sens 59
2.2. Le sacré comme fondement du politique 61
2.3. La sacralisation du politique 65
3. L'irréductible énigme du sacré 67
4. Oubli et déplacement du sacré 71
4.1. Les lieux du déplacement 72
4.2. La question de l'autorité 76

Chapitre 4
Le politique et le savoir 79
1. Savoir et pouvoir dans la religion et la philosophie 80
1.1. Savoir et sacré 80
1.2. La critique platonicienne du politique 84
2. Le pouvoir de la raison instrumentale 88
2.1. Savoir, raison et croyance 88
2.2. La double césure kantienne 90
2.3. La puissance de la causalité 93
2.4. Spécialisation et expertise dans les sciences humaines 95
3. Le rôle politique des intellectuels 99

Éléments de bibliographie par chapitre 105

AVANT-PROPOS

Qu'est-ce que le politique ? Telle est la question sous-jacente à chacun des quatre chapitres de ce livre.

Existe-t-il encore dans nos sociétés occidentales un lieu commun, un espace public où l'on puisse débattre et poser la question de l'être-ensemble ? Existe-t-il un espace de discussion, de confrontation et de responsabilité qui fasse de la citoyenneté autre chose qu'un droit de vote périodique, un espace où la démocratie ne soit pas réduite au seul poids du nombre ? Un tel lieu a-t-il jamais existé ? Et à quel prix ? Ou n'a-t-il toujours été que le produit de nos chimères ? Ces questions n'ont pas de réponses certaines, et nous ne prétendons pas les livrer toutes cuites. Nous proposons une réflexion en marche, qui avance dans des contrées incertaines où parfois le chemin – le politique – ne laisse plus qu'une faible trace. Peut-être serons-nous par moments à la recherche d'un absent ou d'un fugitif qui se dérobe à notre approche. Nous verrons. L'essentiel n'est pas tant d'arriver quelque part que de comprendre peu à peu ce qui nous met en chemin.

À quoi se reconnaît une collectivité ? De quoi sont faits les liens qui la tiennent rassemblée ? Quels rôles y jouent l'État, le religieux, le symbolique, le savoir ? Telles sont quelques-unes des questions à la base de notre réflexion. Questions de tous les temps, depuis que les sociétés et les États existent. Questions contemporaines, donc, en ce qu'elles touchent aux fondements du politique. *Le politique*, c'est-à-dire *ce qui fait de la vie en commun autre chose qu'une fatalité ou qu'un agrégat d'intérêts*. Le politique serait ainsi ce qui transforme les accidents de l'histoire et les nécessités matérielles en communauté humaine, en volonté collective. Voilà l'hypothèse à partir de laquelle nous nous interrogerons sur les fondements de nos sociétés. Cette hypothèse est positive (d'aucuns diront optimiste) : elle part du principe que *le* politique, même s'il est difficile à trouver, ne se confond pas totalement avec *la* politique, c'est-à-dire avec la lutte pour le pouvoir. Notre parti pris est également volontariste : pour que la politique ne vienne pas couvrir de son ombre tout le champ du politique, il faut, ce politique, le penser. C'est dire qu'à nos yeux la philosophie politique a encore droit de cité. Ne serait-ce que par ce qu'elle interroge : les fondements.

Interrogation éminemment actuelle du fait que ces fondements, en Occident, apparaissent aujourd'hui mal assurés. Paradoxe : la conception occidentale de la société (économie libérale, démocratie parlementaire, droits de la personne) semble triompher plus que jamais par suite de l'effondrement des bureaucraties de l'Europe de l'Est. Et c'est pourtant ce triomphe même qui, en nous privant de la confrontation avec l'Autre, risque de nous placer avec une violence accrue devant les vérités désagréables qui lézardent nos idéaux : chômage et pauvreté, abstention électorale, effritement des solidarités. L'expérience montre que ni le libéralisme, ni le suffrage universel ni même les droits de la personne ne permettent aux laissés-pour-compte de nos sociétés opulentes et gaspilleuses de vivre dans la dignité. L'agglomérat des droits et des égoïsmes individuels arbitrés par les tribunaux ne suffit pas à faire une société. De même, l'adaptation de l'économie nationale et de l'organisation sociale aux exigences concurrentielles du marché mondial ne peut à elle seule faire une *politique*.

Ces insuffisances, nous sommes tous amenés un jour ou l'autre à les éprouver directement ou indirectement devant l'état des choses. Que nous les refoulions dans l'oubli ordinaire, que nous nous résignions ou que nous nous révoltions, elles indiquent bien qu'il y a là quelque chose qui manque, qui est désiré. Quelque chose à quoi aucune société ne peut renoncer sans risquer de se défaire. Quelque chose à quoi, malgré tous les découragements, toutes les désillusions, tous les cynismes, nous tenons encore. Certes, le désir du politique est faible, menacé ; mais il n'a pas disparu de nos sociétés. Les consommateurs, les contribuables, les spectateurs, les assistés que nous sommes n'ont pas définitivement renoncé à se définir comme citoyens – même si cette définition est sans doute à repenser sans cesse. Si notre renoncement était sans appel, la réflexion politique n'aurait pas le moindre sens. Si nous croyions que le désir du politique est mort, nous n'aurions pas entrepris ce livre et serions incapable d'enseigner.

Ce livre est né d'un enseignement, et il en porte la marque : il n'est pas, il ne saurait être « achevé » ; les réflexions qui y sont rassemblées sont à proprement parler en cours. Ce n'est pas non plus un ouvrage érudit, encore moins un manuel. Un certain souci pédagogique néanmoins l'anime : éclairer les problèmes politiques contemporains en les situant dans une perspective historique longue, présentée avec autant de concision que possible. L'entreprise n'est pas sans contradiction et ne va pas sans risque. On ne raccourcit pas impunément l'histoire. Mais la *perspective* historique, dans notre esprit, ne remplace nullement l'étude de l'histoire ; elle devrait plutôt en donner le goût. Au reste, sa principale fonction ici est de mettre le présent à distance, de faire réfléchir sur la pérennité des problèmes de fond sans ignorer la diversité de leurs formes, de leurs manifestations. Tel est l'esprit dans lequel, nous l'espérons, on lira ce qui constitue une *introduction à la réflexion sur les fondements du politique*.

Chacun des trois premiers chapitres traite une dimension particulière du politique : la dimension subjective au chapitre 1, avec le problème de l'identité collective et la question nationale ; la dimension historique au chapitre 2, avec l'émergence et l'évolution de l'État moderne occidental dans la société mondiale ; et la dimension symbolique au chapitre 3, consacré au rapport entre le religieux et le politique. Le quatrième et dernier chapitre, à travers une interrogation politique sur le savoir, reprend certains des fils laissés en suspens dans les chapitres précédents et se clôt par une réflexion sur le rôle de l'intellectuel dans la société. Si l'ensemble forme un tout, chaque chapitre a été conçu de façon à pouvoir être lu séparément. Ce choix entraîne ici ou là quelques recoupements qui contribueront à éclairer plutôt qu'à répéter le propos.

Soulignons que, dans chaque chapitre, nous avons traité la matière du point de vue des sociétés occidentales (européennes et nord-américaines), ce qui ne signifie pas que toutes les réflexions proposées ne concernent en rien les sociétés non occidentales. Simplement, nous les avons délibérément laissées de côté, et avec elles un certain nombre de phénomènes mondiaux qui touchent notamment aux rapports Nord–Sud. Or, il est clair que la plupart des problèmes de nos sociétés s'insèrent dans un contexte planétaire que nul ne peut ignorer et auquel il nous arrivera de faire référence. Cela dit, du moment que le contexte en question est largement le produit d'une dynamique qui a sa source en Europe occidentale, le questionnement des fondements politiques de nos sociétés, comme nous le verrons plus spécifiquement au chapitre 2, contribue à éclairer les origines de ce qu'on appelle la « mondialisation ».

À cet égard, une dernière remarque s'impose : si la mondialisation est largement le produit de l'expansion occidentale, de son économie et de sa technique, ni cette économie ni cette technique ne sont plus de nos jours la propriété exclusive de l'Occident. Inversement, la mondialisation du capitalisme et de la technique, qu'on peut considérer comme le seul universel concret de l'humanité, n'implique, quoi qu'on en veuille, aucune universalité des valeurs. Sur le plan normatif, l'humanité, l'universel de l'humain, reste une virtualité à concevoir. Et cette virtualité ne pourra prendre de la consistance que dans le respect mutuel des cultures. Respect de l'autre et respect de soi. Il n'est donc pas vain de vouloir commencer, si peu que possible, par se comprendre soi-même dans le monde.

CHAPITRE 1

IDENTITÉ, ALTÉRITÉ ET QUESTION NATIONALE

La question nationale pose le problème de l'identité collective, qui constitue elle-même la dimension subjective du politique. Contrairement aux apparences, la question nationale ne se confond pas avec celle de l'État-nation, dont nous verrons les fondements au chapitre suivant. La terminologie est ici source de confusions ; elle alimente notamment un malentendu regrettable selon lequel l'État-nation constituerait ou devrait constituer la réponse par excellence à la question nationale partout dans le monde. Il n'en est rien. Ni dans les faits ni même du point de vue d'un à priori normatif. Cela ne signifie toutefois pas que les deux questions (question nationale et État-nation) n'ont aucun rapport entre elles, mais on ne peut clairement comprendre leur rapport sans commencer par les distinguer.

Disons d'emblée que le concept d'État-nation, s'il a un sens, ne désigne qu'une des formes possibles de l'État, aujourd'hui abusivement évoquée comme sa forme « normale » ou générale. Contrairement à ce que le concept suggère, cette forme n'implique nullement qu'il y ait coïncidence entre État et nation, moins encore entre citoyenneté (appartenance à un État) et sentiment national. À vrai dire, cette coïncidence est extrêmement rare, et c'est justement en raison de la rareté de cette conjonction que la question nationale ne cesse de se poser un peu partout dans le monde. Mais, là encore, parler tout de go de « question nationale » (même avec les précautions que nous venons de prendre), c'est déjà préjuger une bonne partie de la réponse : c'est privilégier sans examen le phénomène « national » par rapport à l'ensemble du phénomène identitaire. En amont de la question nationale se pose en effet la question de l'identité collective, la question de l'appartenance dans sa généralité, sans spécification préalable. Question dérisoire, dépassée ? Ou question inévitable ?

À notre époque que domine l'idée de globalité, où les frontières apparaissent, à hauteur de satellite, comme le legs obsolète d'un autre âge, en un temps où par la force de l'activité humaine l'habitat terrestre semble ne plus pouvoir être considéré autrement que comme un tout, surgissent et ressurgissent un peu partout les particularismes. À elles seules, cette persistance et cette résurgence indiquent que la question de l'identité collective, qu'on le veuille ou non, n'est pas dépassée, même si la manière dont cette question se manifeste le plus souvent aujourd'hui trahit l'absence de maturité de l'humanité. Cette absence donne à réfléchir. Elle donne à réfléchir, au-delà du manifeste, au-delà du visible, sur ce qui fonde le « processus identitaire », c'est-à-dire le processus par lequel l'identité nécessairement se forge puis se maintient comme un bien à préserver, comme quelque chose d'irremplaçable pour l'être humain et pour la collectivité à laquelle il appartient. Ce bien peut sembler insignifiant en regard des problèmes gigantesques qui assaillent la planète. Mais rien de ce qui vit ne peut être qualifié à la légère de « dérisoire », sauf à faire une dérision de la vie même. Et toute collectivité, tout individu est justifié de vouloir témoigner de sa présence au monde, aussi longtemps que ce témoignage ne s'exprime pas aux dépens du désir de témoignage d'autrui. Dans un monde intellectuellement obsédé par les problèmes globaux et par la survie de l'espèce, le morcellement politique et culturel de l'humanité ne saurait être envisagé comme une simple calamité de l'histoire (interprétation réductrice du mythe de Babel), mais bien plutôt comme une source de diversité et de richesse, comme une partie intégrante de notre habitat terrestre.

La question de l'identité est cruciale pour une raison plus profonde encore, qui dépasse ses aspects politiques les plus évidents : elle touche à l'ensemble de ce qui plus ou moins consciemment constitue notre manière d'être et d'agir dans presque toutes les sphères de notre existence, notamment en ses instances qui nous apparaissent les plus vitales, dont la mise en péril déclenche ce qu'on appelle proprement l'instinct de conservation. Instinct de survie qui ne s'exerce pas seulement contre la mort physique, contre ce qui nous menace matériellement, mais qui s'oppose également à la perte de notre manière de vivre et de notre univers symbolique, soit l'ensemble des éléments qu'on désigne souvent en bloc sous le terme d'« identité culturelle ».

Le plus souvent, cette identité « va de soi ». Nous n'éprouvons le besoin de la défendre que lorsque, à tort ou à raison, nous la sentons menacée. Même alors, pourtant, elle demeure irréfléchie, en ce que nous ne remettons pas en cause – en situation de danger moins que jamais – la valeur des éléments (langue, religion, mœurs, institutions, etc.) qui la définissent. Quels biens symboliques et imaginaires l'instinct de conservation culturelle conserve-t-il au juste ? Voilà précisément ce qui demeure la plupart du temps « inquestionné » et qu'il s'agit ici d'examiner en remontant aux sources du processus identitaire qui constitue le substrat subjectif de toute collectivité sociopolitique.

1. Les fondements de l'identité

Comment l'identité se forme-t-elle ? Qu'il s'agisse d'identité individuelle ou d'identité collective, le processus de formation a les mêmes racines, tant il est vrai que c'est nécessairement à travers la socialisation, comme on le verra, que se fait l'identification de chacune et chacun. Aussi pouvons-nous commencer notre interrogation en réfléchissant aux fondements de l'identité en général, avant d'aborder de façon plus spécifique la question de l'identité collective.

Nous le savons tous et nous l'oublions constamment : nous ne décidons ni du lieu ni du temps de notre venue au monde ; personne ne choisit ses parents, sa famille, sa ville, son village ; personne ne veut à priori la société dans laquelle la naissance le jette. Quel que soit le niveau auquel on les envisage (village, quartier, ville, région, pays), la plupart des collectivités dont nous faisons partie nous sont imposées, constituent des données contraignantes de notre existence, du moins à ses débuts. Dans les années les plus décisives pour notre formation d'être humain, et sans avoir besoin d'affirmer péremptoirement que « tout se joue avant six ans », nous sommes presque totalement dépendants de notre entourage immédiat. Le nouveau-né est un « immigrant » livré aux intentions et aux fantasmes de celles et ceux qui l'accueillent. Même sorti de l'impuissance des premiers mois et des premières années, l'enfant reste soumis aux décisions et au jugement des adultes qui l'entourent : sa manière de vivre, sa vision des choses, ses fréquentations, son éducation en dépendent largement.

Ainsi, d'entrée de vie, pour le meilleur comme pour le pire, la mère, le père (ou ceux qui en tiennent lieu) laissent leur marque profondément inscrite en nous : dans la formation de notre identité, jusqu'au noyau le plus intime du moi, il y a l'autre. Inévitablement, tôt ou tard, l'intrusion dans notre univers d'une volonté qui s'oppose à nos pulsions est ressentie, peu ou prou, comme une violence qui nous est faite. Quelle que soit la forme de cette violence (qui n'est pas nécessairement physique), l'altérité en nous est le résultat d'une effraction : elle fait mal, d'autant plus mal qu'on nous l'inflige le plus souvent « pour notre bien ». Ceux qui nous éduquent nous aiment, ils ne cessent de le répéter, ils le croient, et nous apprenons très vite, à notre tour, que la réalisation de nos désirs passe par la conquête de leur amour. L'autre est d'autant plus présent en nous que nous éprouvons le besoin de nous assurer de son affection ; à cette fin, nous intériorisons sa volonté. Tout enfant désireux de survivre doit un jour ou l'autre, à des degrés évidemment très divers suivant les cas, affronter la contradiction qui résulte de ce que le plaisir et la souffrance, l'approbation et la réprobation jaillissent de la même source.

Cet apprentissage ne se fait pas sans douleur, et cette douleur doit être surmontée, le plus souvent par son refoulement ou son occultation, par l'intériorisation des interdits et des maux qui nous sont imposés du dehors. Nous finissons instinctivement par trouver de bonnes raisons aux désagréments qui nous viennent de cet autre dont nous cherchons l'amour, au prix, si nécessaire, de notre propre culpabilité. Si bien que dans le dur apprentissage du moi, il n'y a pas seulement l'empreinte de l'autre, mais aussi son oubli. « Je est un autre », disait Rimbault. La force de cet aphorisme tient à la lucidité peu ordinaire de l'aveu qu'il contient : en moi, dans ce qui me constitue, il y a l'inavouable. « Je » n'est pas seulement celui qui dit « je » ; « Je » est aussi cet autre qui ne se dit pas, qui ne se sait pas, qui s'est oublié.

Cet oubli, cet inavouable pose à l'individu un problème particulier que la psychanalyse tente d'explorer. Sans entrer ici dans les arcanes de cette discipline, il est nécessaire de comprendre les limites que le travail de l'insu en nous trace au libre-arbitre, à l'exercice raisonné de notre volonté. Les déterminations de notre enfance n'auraient pas tant de poids si elles nous étaient toutes connues. Or, nous savons déjà qu'il n'est pas si simple de se débarrasser des valeurs et des idées que nous avons reçues en connaissance de cause depuis notre plus jeune âge : leur rejet, même le plus radical (celui-là surtout !), est encore la manifestation de leur emprise sur nous. Que dire alors de celles dont nous n'avons pas conscience ? Leur pouvoir n'en est que plus redoutable.

La formation de l'identité collective ne se fait évidemment pas de la même manière que celle de la psychè individuelle. Mais il existe entre les deux une relation importante à plus d'un titre. Dans ce qui nous marque dès la plus tendre enfance à travers nos proches, il y a déjà la société. Aux sources de notre identité singulière agissent, de manière souvent insidieuse, les valeurs du groupe, de la collectivité. Leur caractère sournois augmente en proportion du discours « libéral » qui les couvre, comme cela se produit surtout dans les sociétés occidentales. Les contraintes, les rites n'y sont pas aussi visiblement structurés que dans d'autres cultures. La place que notre civilisation donne en apparence à la liberté de conscience et d'expression tend à minimiser l'étendue de ce qui nous conditionne. Nous circulons librement dans le supermarché de nos valeurs sans plus nous rendre compte de la puissance du mythe qui sous-tend nos choix : le mythe du bonheur par la consommation, sur lequel repose l'incroyable somme de publicité que nous ingurgitons jour après jour sans y penser.

Outre la nécessaire liaison qui articule l'identité individuelle à l'identité collective, il existe d'importantes ressemblances dans leurs processus de formation respectifs. L'identité collective est elle aussi le produit d'un long cheminement, infiniment plus long pour la collectivité que pour l'individu, au cours duquel un tri se fait et se refait constamment entre ce qui est oublié et ce qui est conservé, entre ce qui est occulté et ce qui est commémoré. Ce tri s'appelle l'histoire : non pas celle qui s'est effectivement déroulée et qui reste à jamais hors de notre portée dans son intégrité, mais bien celle qu'on écrit et réécrit sans cesse au fil du temps. Ainsi, la mémoire collective, elle aussi, est hautement sélective : elle magnifie les événements dont le souvenir conforte et consolide le groupe, elle minimise, camoufle, refoule les phénomènes moins reluisants, désagréables, dont l'évocation tend à diviser les esprits et à affaiblir le sentiment d'appartenance. Il va de soi que l'appréciation des élites qui « font » l'histoire est susceptible de varier avec le temps et les circonstances quant à ce qu'il faut garder et rejeter du passé (l'aventure de Jeanne d'Arc en offre un bon exemple, en ce qu'elle est longtemps restée marginale dans l'histoire de France). Cette souplesse a évidemment ses limites : chaque peuple garde en mémoire les catastrophes ineffaçables, si cuisant qu'en puisse être le souvenir (le régime de Vichy en France, les camps de concentration nazis en Allemagne, les Plaines d'Abraham au Québec), traumatismes avec lesquels il compose comme il peut grâce au baume de l'interprétation et au contrepoids des hauts-faits qu'on finit presque toujours par découvrir aux moments les plus sombres (ainsi, pour la peu glorieuse période de Vichy, l'histoire « officielle » a longtemps mis l'accent sur la Résistance plutôt que sur la Collaboration). Pour la collectivité comme pour l'individu, ce n'est que par le travail sélectif de la mémoire que peut émerger et se consolider notre attachement à ce que nous sommes devenus.

Il ne s'agit pas ici de railler la mémoire des peuples et moins encore de flétrir l'histoire en tant que discipline : il s'agit plutôt de comprendre leur rôle. On n'insistera jamais assez sur l'importance de la démarche historique, tant sur le plan objectif que sur le plan subjectif. En tant que méthode qui permet de recueillir une partie des éléments susceptibles de nous renseigner sur le passé et de les soumettre à un examen critique (ce qu'on appelle, dans le jargon des historiens, « la critique des sources »), l'histoire constitue encore aujourd'hui la clé de voûte et, à bien des égards, la matrice des sciences sociales. En tant que vision subjective qui, à partir des éléments disponibles, procède à une mise en ordre, à une explication de l'évolution des sociétés, l'histoire contribue puissamment à forger l'image que les peuples se font d'eux-mêmes et de leur place dans le monde. Aucune collectivité un tant soit peu durable ne peut se passer de cette mise en perspective qui la situe dans le temps et l'espace. Et cette perspective comporte inévitablement une dimension mythologique essentielle au processus identitaire.

Nous touchons ici à un phénomène capital. Comme nous le verrons plus longuement au chapitre 3, aucune société ne peut survivre sans une représentation plus ou moins cohérente d'elle-même, cohérence à laquelle le mythe contribue de façon irremplaçable. Contrairement à l'idée reçue, le mythe *ne* s'oppose *pas* à la réalité : il y participe, il l'imprègne, il contribue à la façonner. Ce qu'une collectivité pense d'elle-même, de ses relations avec les autres influe sur son comportement et, par là même, *fait partie* de son rapport au monde. Bref, aucun groupe ne tient sans une mythologie implicite ou explicite capable de fonder son identité collective et d'assurer minimalement sa cohésion.

La mythologie identitaire ne peut se constituer efficacement sans assigner des frontières au groupe qu'elle a pour fonction de rassembler. Dans le domaine de la politique des États, ces frontières prennent la forme de lignes de démarcation physiques surveillées, objets de reconnaissance ou de contestation mutuelles, dont le tracé exprime à la fois le travail de l'histoire, la stabilisation d'un rapport de force et les préoccupations militaires (généralement couvertes par l'euphémisme de la « frontière naturelle », ineptie conceptuelle qui ne désigne rien d'autre qu'une position stratégiquement satisfaisante pour celui qui la revendique). Cette dominante géostratégique risque fort de nous induire en erreur : *la* frontière, celle qui distingue la collectivité du reste du monde, qui sépare l'identité de l'altérité, quelque forme qu'elle puisse prendre sur le terrain, cette frontière inhérente au « nous » est fondamentalement symbolique, voire imaginaire ; elle est – le cosmonaute le sait bien – dans les têtes. « Dans les têtes » ne veut pas dire illusoire, mais bien réellement là, dans le cerveau, où elle accomplit son rôle mythique, aussi certaine que la ligne invisible qui sépare les deux côtés d'une même feuille de papier. Ces deux faces, à la fois distinctes et indissociables, que presque rien ne sépare, illustrent parfaitement la nature congénitale du rapport qui lie l'identité à l'altérité : indissociables elles aussi, étant toutes deux adossées l'une à l'autre ; en transparence, leurs différences se confondent et se superposent comme les lignes d'une page imprimée que traverse la lumière.

Pour la collectivité comme pour l'individu, l'autre est, au moins partiellement, en nous, de la même façon que nous sommes en lui. Il est présent dès l'origine dans la formation même de notre identité, comme nous le sommes dans la sienne. Nous verrons plus loin les conséquences de cette réciprocité. Au préalable, il convient d'examiner les principales formes que peut prendre l'identité collective.

2. Les formes de l'identité collective

Les formes de l'identité collective varient énormément dans le temps et dans l'espace. Il ne s'agit pas d'épuiser toute leur diversité ni de les examiner à tous les niveaux. D'emblée, nous excluons ici les collectivités familiale et clanique (la famille élargie) pour nous limiter aux regroupements socio-politiques qui les dépassent. Même dans ces limites, le champ d'observation demeure immense et demande à être balisé. Nous nous en tiendrons donc à quelques formes essentielles qui nous serviront de points de repère pour comprendre les implications de leur diversité et de leur recoupement.

Rares, en effet, sont les personnes qui, dans nos sociétés, se définissent exclusivement par leur appartenance à un seul groupe. Presque chacune se situe par rapport à plusieurs pôles identitaires qui font l'objet d'une hiérarchisation plus ou moins consciente, susceptible de varier avec l'âge et les circonstances. Certains de ces pôles exercent toutefois une attraction plus forte et plus constante que d'autres : tout particulièrement ceux à l'égard desquels notre attachement semble depuis toujours aller de soi et auxquels nous renouvelons notre adhésion sans y penser. C'est généralement le cas du pays que nous habitons, à plus forte raison si nous y sommes nés, et c'est pourquoi ce qu'on appelle à tort ou à raison l'identité nationale, en dépit des ambiguïtés qu'elle soulève, prend souvent le pas sur toutes les autres. La forme « nationale » de l'identité, en effet, est à la fois si évidente, si envahissante et si ambiguë qu'elle tend à occulter ou à se subordonner les autres composantes de notre identité sociale. C'est donc par elle qu'il faut commencer pour tenter d'y voir plus clair dans l'enchevêtrement des appartenances.

2.1. La forme nationale-étatique de l'identité

La prédominance et l'ambiguïté de l'identité nationale ne sont évidemment pas sans rapport avec la généralisation abusive du concept d'État-nation, généralisation qui suggère qu'il y aurait là une sorte de forme obligée ou de lieu idéal de l'identification politique, considérée, surtout, du point de vue « inter-national » – terme qu'il faut briser pour en faire entendre, derrière l'usage convenu, l'origine. Le nom même de l'organisation intergouvernementale suprême qui sert de forum aux États du monde entier et le préambule qui ouvre sa charte (« Nous, Peuples des Nations Unies, ... ») donnent à entendre que ce sont en l'occurrence les nations elles-mêmes qui, à travers leurs représentants, se rassemblent. De là à s'imaginer qu'il existe – ne serait-ce qu'en puissance ou par anticipation – l'ébauche d'un ordre du monde fondé sur les nations, il n'y a qu'un pas... que rien ne permet de franchir. Indépendamment même de la question de savoir s'il y a là l'embryon d'un ordre quelconque, personne n'ignore que l'enceinte onusienne ne rassemble que les gouvernements, tout au plus les États, et certainement pas les peuples ni les nations, quelle que soit la définition qu'on veuille leur donner. La terminologie officielle de l'ONU prolonge et consacre une fausse représentation.

Cette fausse représentation a ses racines dans l'histoire. Ce n'est que par un glissement de sens historique (dont nous verrons les origines au chapitre 2) qu'une équivalence trompeuse s'est peu à peu instituée entre les concepts d'État et de nation. Mais on aurait tort d'y voir la perpétuation d'un simple lapsus : il y a là une équation dont l'utilité idéologique n'échappe pas au pouvoir et qu'aucun pouvoir ne laisse échapper pour peu qu'elle soit à sa portée. Quel gouvernement souverain préférerait invoquer la survie de l'État (quand bien même il ne s'agirait en réalité que de sa propre survie à lui, gouvernement) là où il peut faire valoir la sauvegarde de la nation ?

On rétorquera qu'il s'agit d'une pure question de terminologie et, qu'une fois admis l'usage selon lequel on emploie indifféremment l'un et l'autre, « État » ou « nation », pour désigner la même réalité, cette tautologie ne pose plus de problème. Mais ce n'est justement pas si simple. En matière d'identité plus qu'en toute autre, la terminologie n'est jamais « pure » et moins encore indifférente. Le mot « État » suggère un pouvoir, un rapport de force ; il renvoie à l'idée de structure contraignante, et l'enjeu que représente immanquablement le contrôle de cet appareil laisse entendre que des groupes plus ou moins restreints dominent et travaillent pour des intérêts spécifiques. Au contraire, le terme de « nation » évoque l'idée de rassemblement, de communauté d'intérêts, de solidarité, de volonté générale, toutes choses sur lesquelles il fait planer le fumet des origines (quand ce n'est pas celui du sang) et le sens du destin. Comment ne pas céder à tant d'attraits ! Les mots « nation » et « national » tendent une corde trop sensible, trop utile pour qu'aucun politicien puisse renoncer de son propre chef à la faire vibrer et à en exploiter la résonnance ambiguë.

Si donc le concept d'État-nation a fait fortune, ce n'est pas seulement pour des raisons historiques, mais surtout parce que son ambiguïté exprime plus ou moins consciemment le désir de tout État d'obtenir l'adhésion de la population du territoire qu'il contrôle, voire de la mobiliser vers un but commun. Ce but commun a une désignation générale en usage dans presque tous les pays du monde : « l'intérêt national ». Depuis plusieurs décennies, les spécialistes des relations internationales tentent d'en formuler une définition satisfaisante, sans qu'aucune ne parvienne à faire consensus. C'est qu'une telle définition n'est ni possible ni nécessaire. Maints concepts ont en effet pour fonction de nommer des réalités auxquelles tout le monde se réfère, que tout le monde comprend mais que chacun entend à sa manière. On ne s'étonnera pas que le concept d'intérêt national soit de ceux-là, puisque nous savons maintenant que, mine de rien, il contribue à l'effort idéologique que déploie chaque État pour susciter à son endroit un sentiment d'appartenance, qu'il voudrait bien lui aussi pouvoir qualifier de « national ».

Ainsi, tout État, quelles que puissent être sa taille, sa composition ethnique et son âge (du plus récent au plus ancien), vise à créer ce qu'on pourrait appeler une identité nationale-étatique, si nécessaire, et si possible, au détriment des sentiments nationaux qui habitent certains des groupes plus restreints établis sur son territoire. Plus le pays est jeune, vaste, bigarré, mais surtout plus il s'y trouve des ethnies fortement constituées, plus la tâche sera difficile. À vrai dire, presque partout dans le monde, y compris dans les pays les plus anciens qui ont servi de modèle au concept d'État-nation, comme la France et la Grande-Bretagne, les sentiments nationaux (qu'on pense seulement aux Basques, aux Bretons, aux Gallois ou aux Écossais) ne coïncident ni avec l'espace ni avec les intérêts de l'État. Quant à nous, au Québec, nous savons d'expérience que le sentiment national québécois travaille souvent à l'encontre de l'intérêt national canadien.

Le Canada offre évidemment à cet égard un exemple presque caricatural. Ce cas extrême mérite néanmoins notre attention en ce qu'il éclaire bien la question. Voilà en effet un grand pays qui s'étale majestueusement d'un océan à l'autre, qui selon toute apparence fonctionne, bref qui a tout pour être heureux (des ressources naturelles, un niveau de vie plutôt élevé, un gouvernement central, une bonne monnaie, une petite armée, une reine lointaine, un voisin bienveillant, un strapontin au G7, etc.). Pourtant le sentiment d'appartenance à ce vaste ensemble souffre d'un certain flottement et l'avenir du pays paraît incertain, même si rien ne laisse présager la guerre civile dont quelques Cassandre d'occasion croient parfois malin de brandir le spectre. Un simple regard sur la carte démographique du pays nous fournit à cet égard une première indication : le « vaste ensemble » se réduit soudain comme peau de chagrin et n'apparaît plus que comme un mince cordon étiré d'une rive à l'autre du continent. Angoisse. Le Canada serait-il la frontière septentrionale de l'empire américain ? Une ligne de chemin de fer désaffectée ? La clôture d'un immense terrain de chasse ou d'une vaste réserve de matières premières ? Et si, abandonnant la carte, on laisse ses pensées vagabonder, on en vient à se demander si le Canada n'est pas plutôt, tout compte fait, un produit intérieur brut, un déficit budgétaire ou le rêve d'un premier ministre…

L'évocation de ces représentations partielles plus ou moins farfelues ne vise ici qu'à se questionner sur l'évidence : Qu'est-ce, au juste, que le Canada ? Nous serions bien en peine de le dire. Comme naguère avec le concept de sentiment national, nous ne pourrions donner du Canada une définition qui fasse consensus – impossibilité que l'interminable débat constitutionnel et ses échecs successifs illustrent sur le plan de la pratique politique. À la question « Qu'est-ce que le Canada ? », il n'existe à vrai dire qu'une seule réponse irréfutable : le Canada est une métaphore. En l'occurrence, cette figure de rhétorique est particulièrement adéquate, en ce qu'il y a eu effectivement transposition de nom et glissement de sens des premières nations aux Français, puis des Canadiens français aux Anglais. Mais, de façon générale, de tout pays, du plus incertain au plus solide, on peut dire sans risque de se tromper et sans dérision aucune qu'il est une métaphore, terme qui a pour principal mérite de mettre en relief la dimension symbolique qui le constitue.

La question n'est donc pas de savoir si, par exemple, la France est ou n'est pas une métaphore, la question est de savoir si la métaphore fonctionne, et avec quelle efficacité. Plus elle sera faible, plus l'identification collective à l'État sera problématique. Nous rejoignons ici ce qui a été dit plus haut des mythes constitutifs de toute collectivité durable : la métaphore – le nom propre au fond – ne fait que les rassembler sous un seul et même signifiant que chacun peut entendre à sa guise. Il appartient au rôle de l'État de diriger les significations dans le même sens. Et c'est d'ailleurs à cela, à l'incapacité où sont ses élites de donner une *direction,* qu'on peut reconnaître la faiblesse du Québec : dans sa valse-hésitation entre le fédéralisme canadien et l'indépendance, tantôt il affirme, tantôt il mine sa métaphore.

Par essence, l'État est monopolisateur, et il ne faut pas s'étonner qu'il mette tout en œuvre pour drainer vers lui la loyauté de ses ressortissants. Mais il est plus facile de monopoliser la puissance militaire, le pouvoir de taxer et la capacité de légiférer que le sentiment d'allégeance ; plus facile d'obtenir l'obéissance que la reconnaissance. Sans doute, la promotion de la démocratie parlementaire, qui n'est dans le meilleur des cas qu'une oligarchie élective, et l'adoption du suffrage universel ont-elles sensiblement encouragé les citoyens et les citoyennes à se reconnaître dans l'État, voire à en dépendre, avec l'institution, pourtant largement imaginaire, de l'État-providence. Mais encore faut-il se *sentir* citoyen ou citoyenne, autrement que par le seul exercice de ses minces prérogatives (le droit de voter tous les quatre ou cinq ans), et le charme de la citoyenneté, dans nos sociétés, est plutôt en perte d'attraction. Quant à la dépendance de l'État-pourvoyeur, elle suscite plus de rancœur que de loyauté. Si ce qu'on appelle la démocratie constitue donc une étape de plus vers la monopolisation symbolique à laquelle aspire le pouvoir étatique, celle-ci n'a pas réussi, tant s'en faut, à effacer les autres pôles d'identification possibles à l'intérieur comme à l'extérieur de l'État. C'est vers ces derniers que nous allons maintenant nous tourner.

2.2. Les autres formes géographiques et historiques de l'identité collective

Parmi les identités que nous distinguons par commodité de la forme nationale-étatique, cinq pôles importants méritent à première vue une attention particulière. Quatre d'entre eux appartiennent à la géographie humaine, c'est-à-dire aux catégories que les groupes territorialement et historiquement définis ne manquent pas d'invoquer comme facteur de cohésion interne chaque fois qu'ils le peuvent : la race, l'ethnie, la religion, la langue. Un cinquième pôle identitaire, au contraire, exerce son attraction sans égard pour les frontières ethniques, religieuses, linguistiques et territoriales et requiert pour cette raison un traitement particulier : il s'agit de l'appartenance sociale, dont il sera question plus bas.

Il y a évidemment quelque chose d'un peu arbitraire à distinguer les formes d'identité géographiques et historiques qui correspondent au cadre étatique de celles qui ne s'y assimilent pas : les secondes ne se définissent pas toutes ni toujours nécessairement en opposition à l'État ; et certaines d'entre elles contribuent même dans certains cas à renforcer le sentiment d'appartenance qu'il commande. La langue et la religion, pour ne retenir que ces deux exemples, peuvent parfaitement constituer, conjointement ou séparément, des facteurs importants de l'identité nationale-étatique (l'allemand en Allemagne, le chi'isme en Iran, le suédois *et* le luthérianisme en Suède, pays dont l'exceptionnelle homogénéité ethnique représente dans le monde d'aujourd'hui une véritable curiosité de la géographie politique). Inversement, nous ne savons que trop à quel point, dans d'autres États, ces mêmes pôles identitaires peuvent cristalliser les antagonismes et aggraver les déchirements. Ces brèves évocations suffisent à rappeler l'enchevêtrement parfois inextricable des phénomènes identitaires et, du même coup, la raison pour laquelle nous avons choisi d'examiner séparément les principales formes qui les composent.

La première catégorie, la race, en tant que différenciation d'ordre physique, pose des problèmes insolubles et explosifs. Insolubles en ce que les différences dites raciales vont du plus visible à l'imperceptible, quand elles ne sont pas tout simplement imaginaires. Ainsi y a-t-il des gens pour qui la « race juive » existe au sens physique et qu'aucun démenti observable, si patent soit-il, ne pourra faire démordre de leur conviction. Par ailleurs, la distinction raciale évacue le métissage, mélange que la race qui s'estime supérieure exclut de son territoire imaginaire et repousse du côté indésirable de la différence. Par là se manifeste le potentiel explosif de la distinction : pour tenir, la distinction raciale s'appuie implicitement, voire explicitement sur l'idée de pureté. Nous reviendrons un peu plus bas sur ce que cette idée implique. Pour le moment il suffit de constater que la notion de race, tout en renvoyant à des différences censément visibles à l'œil nu, embrasse des ensembles imaginaires trop vastes et trop flous pour être utilisable autrement que de façon polémique. Ainsi, tout en constituant un puissant élément d'identification possible, la race au sens physique ne permet-elle pas, à elle seule, de définir un pôle identitaire suffisamment précis pour mériter discussion. N'oublions pas que le mot est probablement rattaché au latin *ratio* (lequel a également donné le mot « raison » et ses dérivés, notamment « rationnel », « rationalisation », etc.) et qu'il signifie à l'origine catégorie ou espèce. Il s'est d'abord appliqué à la famille considérée dans sa lignée (race noble et race roturière, par exemple) et n'en est venu que par la suite à prendre une connotation ethnique. Ce qui nous amène à notre deuxième pôle.

Quoiqu'on les utilise parfois dans le même sens que race et racial, les mots « ethnie » et « ethnique » renvoient généralement à des ensembles plus restreints constitués selon des critères qui ne sont pas nécessairement physiques. Par son étymologie, l'ethnie évoque à la fois l'idée de peuple et celle de mœurs, de coutume (du grec *ethos*, qui a aussi donné éthique). Ici la distinction s'établit donc essentiellement sur le plan culturel, étant bien entendu que ce qu'on appelle au sens large la culture, c'est-à-dire le mode de vivre du groupe, ne dépend pas seulement de la géographie mais tout autant, sinon davantage, de l'histoire. Dans sa définition statique, la culture peut être considérée comme l'ensemble plus ou moins nettement hiérarchisé des valeurs explicites et implicites qui servent de fondement à la collectivité. En réalité cet ensemble n'est jamais complètement statique et peut même par moments subir des changements radicaux, éruptions résultant d'une longue évolution interne (par exemple la Révolution française) ou d'une intervention externe plus ou moins brusque (migrations, invasions, guerres, hégémonies, échanges commerciaux, etc.). Si l'ethnie définit donc un peuple par sa culture, celle-ci se décompose et se recompose en fonction des brassages auxquels la soumet l'histoire, si bien qu'aucun peuple, aucune culture, aucune ethnie n'est jamais « pure ». Tout au plus peut-on parler d'homogénéité chez les peuples, de plus en plus rares, qui vivent depuis longtemps en vase clos. Mais dans la plupart des cas, une ethnie est elle-même le produit d'une série de mélanges, au cours desquels ce qu'on appelle les traits physiques se sont dilués. C'est dire que les peuples ou ethnies se distinguent avant tout par les éléments symboliques qui les rassemblent, à savoir principalement la langue et la religion, que nous avons déjà reconnus comme deux pôles identitaires puissants.

La langue et la religion n'exigent pas grand commentaire : ce sont généralement les ingrédients identitaires les plus faciles à repérer. Nous sommes bien placés pour le savoir au Québec, où ces deux éléments se sont conjugués pour donner aux Canadiens français une forte identité statique, qui constitue encore aujourd'hui le fond de la « québécitude » dite « de souche ». Mais cette souche repose elle-même sur une souche plus ancienne, les premières nations, et a subi des greffes importantes : la greffe britannique, bien sûr, mais aussi les greffes irlandaise, italienne, grecque, libanaise, etc., fragments de peuples venus s'insérer avec leurs coutumes, leurs langues dans l'espace québécois, montréalais surtout, depuis maintenant plus d'un siècle et qui contribuent à la richesse humaine, culturelle et économique de ce pays. Cette mosaïque forme-t-elle aujourd'hui un peuple ? D'un point de vue ethnique, culturel, sûrement pas. Mais c'est là une position statique résultant de la double allégeance que la majorité francophone elle-même n'a pas réussi à résoudre au plan des institutions politiques : cette majorité ne peut constituer de creuset pour ses minorités aussi longtemps qu'elle aura une vision statique, craintive et négative de sa propre identité. Preuve que l'identité culturelle ne débouche pas nécessairement sur la cohésion politique minimale nécessaire à la mise en place d'institutions étatiques indépendantes. Mais nous abordons là une autre question, sur laquelle nous aurons à revenir plus globalement en fin de chapitre, la question nationale.

2.3. L'appartenance sociale

L'appartenance sociale est le plus souvent considérée à l'intérieur de l'État ou du groupe ethniquement défini. Bien qu'elle puisse être en maintes occasions adéquate, cette restriction ne se justifie pas dans l'absolu. Indépendamment de la solidarité effective pouvant en découler, la culture de classe tend à transcender les barrières ethniques et les frontières nationales. Un berger de la Valteline (Alpes italiennes) peut se sentir plus d'affinités avec un chasseur algonquin qui vit à 10 000 km de sa vallée et avec lequel il n'échangera pas un mot qu'avec un citadin milanais qui réside à moins de deux heures de route et dont il comprend la langue. Cela dit, cette affinité a toutes les chances de demeurer théorique, étant donné que la probabilité d'une telle rencontre approche zéro. C'est dire qu'il n'existe en réalité de culture de classe transfrontalière que pour les élites susceptibles de se rencontrer tous azimuts, celles que leur profession appelle à prendre régulièrement l'avion avec leur mallette et leur micro-ordinateur de bord : gens d'affaires, bien sûr, mais aussi experts, spécialistes, chercheurs, journalistes et communicateurs de tous poils, sans oublier les vedettes des arts et de la littérature. Un sociologue montréalais spécialiste de la délinquance urbaine risque de se trouver plus rapidement à court d'arguments avec un agriculteur beauceron qu'avec un criminologue de Buenos Aires, même si le Beauceron et le Montréalais votent pour le même parti.

La transnationalisation des élites ne date pas d'aujourd'hui. Elle était déjà manifeste dans l'aristocratie européenne des XVIIe et XVIIIe siècles. Ainsi, dès 1789 (avant même la destitution et l'exécution de Louis XVI), une bonne partie de la noblesse française a choisi de combattre la France républicaine aux côtés des régimes aristocratiques étrangers, plaçant ses intérêts de classe au-dessus de la solidarité nationale. La bourgeoisie elle-même, souvent identifiée de façon un peu simpliste à l'édification de l'État-nation en Europe, a dès les débuts de son expansion (XVe-XVIe siècles) étendu ses affaires bien au-delà des frontières de l'État, comme nous le verrons au chapitre suivant. Dans le *Manifeste du Parti communiste* (1848), Marx et Engels montrent la bourgeoisie de la grande industrie comme une force agissant au plan mondial, dont le dynamisme révolutionne partout le mode de produire, transforme la manière de vivre et affecte par là les points de repère identitaires traditionnels. « Les ouvriers n'ont pas de patrie », écrivent-ils. L'expression est-elle à prendre à la lettre ou métaphoriquement ? Peu importe. L'essentiel ici réside dans la volonté de faire surgir des bouleversements socio-économiques du XIXe siècle une nouvelle solidarité de classe transnationale : celle du prolétariat.

Paradoxe : le siècle des nationalismes est aussi celui de l'internationalisme ouvrier. Le *Manifeste* et les internationales ouvrières posent une question qui traverse toute la seconde partie du XIXe siècle jusqu'à la guerre de 1914 : Auquel des deux pôles identitaires, national ou social, les masses européennes vont-elles s'identifier en priorité ? Lequel, du nationalisme et de l'internationalisme prolétarien, l'emportera ? Même si aujourd'hui la réponse de l'histoire paraît claire, il ne faut pas oublier que le débat est resté très vif jusqu'au déclenchement de la Première Guerre mondiale, qui a été fatale à la IIe Internationale et à la solidarité ouvrière. Lénine espérait encore en 1917 et dans les premières années du nouveau régime soviétique que la révolution bolchévique, en brisant le maillon faible du capitalisme européen, entraînerait des mouvements de masse similaires à l'Ouest, notamment en Allemagne. Mais avec l'écrasement, en 1919, de la révolte spartakiste (communiste) sous la République de Weimar, cet espoir s'évanouissait à l'horizon des luttes sociales et les Bolchéviques se voyaient contraints de construire « le socialisme dans un seul pays ». Par la suite l'URSS a bien tenté d'édifier une sorte de solidarité internationale, dite « de classe », avec les PC occidentaux, avec les peuples colonisés et avec les pays de l'Europe de l'Est, mais à chaque crise majeure de son histoire, c'est la raison d'État qui l'a emporté au détriment de l'internationalisme socialiste. Aujourd'hui, l'éclatement de l'empire soviétique et l'effondrement des régimes qui lui étaient affiliés de gré ou de force paraissent confirmer la pérennité des nationalismes ethniques : plus que jamais en Europe centrale et orientale, les nationalités semblent aspirer à se constituer en États souverains.

À vrai dire, ce qui triomphe derrière cet émiettement, c'est l'idéologie libérale-bourgeoise des puissances occidentales et la suprématie du marché capitaliste qu'elles ont institué à l'échelle mondiale, marché qui s'accommode aisément des frontières étatiques et de la fragmentation politique du monde – quand il ne la provoque pas. Il y a là un paradoxe aux sources duquel nous aurons l'occasion de remonter au cours du chapitre 2 : l'idéologie bourgeoise qui se vante d'avoir tant contribué à l'émergence du sentiment national-étatique plaide également en faveur du libéralisme économique international dont la dynamique croissante tend à miner les souverainetés qui se sont réclamées d'elle.

Le moins qu'on puisse dire de la modernisation, en nous limitant ici aux sociétés occidentales, c'est qu'elle a puissamment contribué, avec surtout le déploiement des télécommunications et de l'informatique, à dissoudre les noyaux identitaires traditionnels que nous venons de passer en revue, en particulier ses composantes sociale (conscience de classe) et religieuse, la langue offrant un terrain moins perméable au bombardement tous azimuts des médias. Encore que chaque langue se fasse à sa façon le véhicule de ce fractionnement. Fractionnement identitaire, en effet, plutôt qu'uniformisation culturelle : sous l'apparence d'un vernis commun (parfois nommé « américanisation »), le développement de la technique moderne procède à une multiplication, certes totalitaire, des choix. Totalitaire en ce que cette dispersion tend à s'offrir sous la forme quasi exclusive de la marchandise, que ce soit dans le champ « privé » de la consommation et de la vie sociale ou sur le terrain professionnel de la production. Tant sur l'échelle professionnelle qu'aux rayons multiples du grand marché social, en effet, l'individu s'accroche à des points de repère beaucoup plus mobiles, variables et éphémères que naguère, volatilité identitaire que maints sociologues contemporains recouvrent du concept plus ou moins heureux de post-modernité.

Indépendamment de la pertinence du label post-moderne, il est indéniable que pour l'individu moderne les pôles d'identification (à supposer que le mot « pôle » convienne encore) se sont multipliés, au point de constituer une sorte de brouillard magnétique où l'individu, atomisé par de multiples loyautés simultanées, divisé par la multitude de ses appartenances, ne mérite plus son nom d'« indivis ». Habitant du cosmos, citoyenne du monde, écologue engagé dans la course au gaspillage, électrice-contribuable à deux ou trois paliers de gouvernement, membre d'une entreprise menacée par le marché mondial sur lequel il ou elle consomme, syndiquée ou autonome, (ex-) chômeur (en puissance), adepte du tantrisme, mordu du hockey, piétonne et cycliste associée pour la défense des automobilistes, alcoolique de la ligue anti-tabac, etc., Madame ou Monsieur X risquent de perdre le sentiment de leur identité dans le tourbillon de leurs allégeances plus ou moins conflictuelles.

La confusion, bien sûr, n'est pas toujours aussi caricaturale, et dans le carrousel de nos appartenances, la plupart d'entre nous parviennent cahin-caha, sans déchirure ni lucidité excessive, à établir leurs priorités au jour le jour. Celles-ci dépendent pour beaucoup des obstacles et des difficultés que nous rencontrons sur le chemin de nos fantasmes, dans la réalisation de nos désirs, dans l'assouvissement de nos besoins. Autant dire que dans la hiérarchie fluctuante de nos priorités, l'autre – son attrait, sa résistance, son opposition, la menace qu'il constitue à nos yeux – joue un rôle crucial, il fait partie de l'enjeu. L'altérité, nous le savons, contribue grandement à dessiner dans notre imaginaire individuel et collectif la constellation de notre identité. Aussi faut-il maintenant tenter de mieux comprendre le processus complexe par lequel identité et altérité collectives se nouent de manière indéfectible.

3. La fonction de l'altérité

Partons de l'image de cette feuille imprimée que nous évoquions plus haut : l'altérité est à l'identité ce que son verso est à son recto : l'envers inséparable. Une collectivité se constitue, dans la conscience qu'elle a d'elle-même, en opposition avec ce qui lui fait face, par contraste avec ce qui l'entoure. Une société vivant réellement en vase clos, complètement autosuffisante, comme il n'en existe en fait plus aujourd'hui, n'aurait aucun souci de son identité ni ne chercherait à se définir. Elle se contenterait d'être. Mais pour nous qui sommes au contraire habitués à nous situer par « contra-distinction », nous évoquons le binôme identité–altérité à tout propos sans y prêter attention. La distinction réside si naturellement en nous que nous l'incluons d'office dans nos expressions les plus courantes, comme dans la forme familière du « nous autres » – à laquelle, au Québec, nous ajoutons par précaution un surcroît d'identité : « nous autres mêmes », comme pour nous rassurer sur notre propre existence devant la présence de l'étranger parmi nous, à l'intérieur même de la frontière qui nous délimite.

Sans y penser, donc, nous nous définissons comme « autre », plus exactement comme autre de l'autre, tant il est vrai que nous sommes toujours en opposition à ce qu'il n'est pas même nécessaire de nommer pour qu'il se fasse entendre. Ainsi, pas de Grecs sans Barbares (c'est-à-dire ceux qui, pour les Grecs de l'Antiquité, parlaient une autre langue qu'eux, donc par définition incompréhensible, toutes les langues étrangères étant désignées en bloc sous l'onomatopée balbutiante « b'er-b'er », que les Arabes ont reprise plus tard pour désigner les « Berbères », dont ils ne comprenaient pas la langue), pas de civilisés sans sauvages, pas d'hommes libres sans esclaves, pas de « monde libre » sans « monde communiste » (raison pour laquelle il est impossible que la fin de l'empire soviétique ne soit pas éprouvée à l'Ouest comme une perte symbolique lourde de conséquences, qu'on s'acharne d'ores et déjà à combler par des substituts), pas de prolétariat sans bourgeoisie (et vice-versa), pas d'Occident sans Orient, pas de modernité sans tradition, pas de richesse sans pauvreté ni de justice sans injustice. Bref, pour peu qu'on y réfléchisse, les exemples se multiplient sur tous les plans du social et confirment l'évidence : pas d'identité sans altérité, pas d'appartenance sans frontière, fût-elle imaginaire, qui marque le territoire du même.

Cette évidence est pourtant ce que nous refusons de voir dans toutes ses conséquences. Non pas que la différence nous échappe, puisque au contraire nous prenons grand soin de la cultiver, puisque l'autre est justement ce dont nous avons tant besoin pour croire en nous. Qu'il est notre opposé, voilà ce dont nous sommes fermement persuadés, sans quoi nous ne pourrions le charger de ce qui nous distingue de lui. L'autre est séparé de nous par la frontière de la différence pour que notre imaginaire puisse l'investir *en toute immunité* de ce que nous ne sommes pas, de ce que nous croyons ne pas être. Pour peu que nous l'installions dans une altérité radicale, antagonique, cet autre devient nécessairement porteur de ce qu'il n'est pas question de reconnaître en nous. À tout le moins, la radicalité de la différence occulte opportunément ce qu'il serait désagréable de regarder en deçà de la frontière. Ainsi les tares du régime soviétique, la monstruosité que nous, à l'ouest du Rideau de fer, leur conférions à tort ou à raison, nous dispensaient-elles de considérer nos propres laideurs : les défauts du système capitaliste pouvaient être traités comme de simples dysfonctions passagères, corrigibles, tandis que l'URSS et ses satellites étaient rongés d'un mal incurable. Que ce mal, sous une autre forme, ait aussi été le nôtre n'entrait pas en ligne de compte. Tout comme il demeure impensable, aujourd'hui encore, que la faillite du socialisme soit aussi, ne serait-ce qu'en partie, la nôtre. Cette faillite ne fait que nous confirmer dans la mauvaise opinion que nous avions de lui. Cela s'appelle peindre le diable sur la muraille. C'est pourquoi, le mur de Berlin tombé, il importe d'en conserver des morceaux, pour se rappeler où était le diable.

Si donc nous reconnaissons sans peine l'alterité, tant elle nous est consubstantiellement constitutive, en revanche nous refusons d'admettre sa fonction. S'il n'y a aucune difficulté à voir en l'autre notre opposé, puisque c'est précisément ce que nous voulons qu'il soit, pour la même raison il nous devient presque impossible de comprendre que c'est justement ce qu'il n'est pas – pas au degré, du moins, qui nous est nécessaire. Que l'autre, en d'autres termes, nous ressemble toujours beaucoup plus que nous ne l'imaginons, voilà ce que, par nécessité, nous ne sommes ordinairement pas capables d'admettre. Reconnaître cela, en effet, priverait l'autre de sa vertu négative, de sa fonction portante. Il ne pourrait plus être lesté de ce que nous rejetons sur lui et que nous refusons de voir en nous. Il deviendrait égal à nous-mêmes, inutilisable équivalent. Nous savoir semblables à ce que nous réprouvons, ce serait reconnaître la vérité dont nous ne supportons pas d'être blessés : « Ce qui me dérange chez les autres, c'est moi » (Sloterdijk, 1987, p. 68).

Aussi longtemps que cette désagréable prise de conscience sur la fonction de l'altérité dans le processus identitaire n'a pas lieu, le questionnement sur les fondements de l'identité collective reste impossible ou sans portée. L'identité ronronne alors, en temps normal, comme la chose la plus naturelle du monde. Qu'advienne une crise susceptible de la remettre en cause, elle se dresse comme un réflexe de conservation aveugle qui fait barrage à toute réflexion un tant soit peu poussée sur ce que ce réflexe entend au juste conserver. Une sorte de dialectique identitaire risque dès lors de s'installer entre dominants et dominés. Chez les collectivités dominantes, l'affirmation confiante de soi prend valeur de norme universelle dont la remise en cause apparaît comme une brèche faite à l'idée d'humanité. Chez les collectivités dominées, la préservation de soi est exacerbée par la peur de disparaître. Assurées d'être incomprises dans une générosité dont elles ne peuvent voir la spécificité envahissante, les premières ne voient pas la menace qu'elles font courir aux secondes ; tandis que, obnubilées par la crainte d'être envahies, effacées, les secondes, tout occupées à se défendre, ne peuvent s'interroger sur la valeur de ce qu'elles veulent protéger et en oublient de vivre. Cette mutuelle incapacité à se questionner sur le sentiment identitaire s'accompagne, de part et d'autre, de toutes sortes de rationalisations et d'explications visant à rendre l'adversaire responsable de la déchirure, de la mésentente, de l'incompréhension. Il y a, comme on dit, « dialogue de sourds », mais de sourds qui ne veulent rien entendre à *eux-mêmes*. Le malentendu originel réside *dans le sujet*. C'est pourquoi le jeu de balles (qu'il s'agisse de celles qu'on renvoie avec des mots ou avec des fusils) peut se poursuivre indéfiniment, comme le Canada et le Québec en offrent un parfait exemple – pour le moment en mots.

4. La question nationale

De ce qui précède, nous voyons : 1) que la question nationale n'est qu'une manière parmi d'autres de poser la question de l'identité collective ; et 2) que cette identité se constitue à l'insu de ceux qui la portent et qu'elle se perpétue généralement de façon irréfléchie. Nous savons d'ores et déjà comment elle fonctionne. Reste à préciser ce qui fait sa spécificité : En quoi la question nationale est-elle particulière dans sa manière de poser la question identitaire ?

Cette particularité peut se résumer assez simplement : la question nationale pose le problème de l'identité collective dans son rapport à l'État ; étant bien entendu que l'identité collective dont il s'agit ici est d'ordre ethnico-culturel, avec ses dimensions historiques et géographiques, par opposition à ce que nous avons appelé l'appartenance sociale, qui relève, elle, de l'analyse de classe. La collectivité se reconnaît-elle dans l'État, et notamment dans les trois éléments fondamentaux qui le constituent (population, territoire, structures) ? Aussi longtemps que cette reconnaissance ne soulève pas de problème majeur, aussi longtemps que le groupe ne remet en cause ni son appartenance à l'État, ni les frontières qui définissent ce dernier, ni celles qui, le cas échéant, y délimitent son insertion, alors on peut dire qu'il s'identifie à l'État et que, pour lui, la question nationale ne se pose pas (indépendamment de l'importance numérique que ce groupe peut avoir dans l'ensemble de la population). Inversement, la question nationale surgit dès le moment où, d'une façon ou d'une autre, une ethnie, un peuple, un groupe culturellement défini ne se reconnaît pas dans l'État ou dans les États où il se considère enfermé, dispersé, nié, noyé ou opprimé de quelque façon que ce soit.

Ainsi les Kurdes, divisés et « répartis » entre au moins quatre États différents (Turquie, Irak, Iran, Syrie), donnent l'exemple d'un peuple morcelé sur sa propre terre ; tandis que les Palestiniens se sentent exilés à la fois au-dehors et au-dedans de leur propre pays, où ils constituent des citoyens de deuxième ordre (en Israël même) ou des gens sans citoyenneté du tout (dans les territoires occupés par Israël depuis juin 1967 ainsi que dans certains pays arabes). Les Juifs, quant à eux, se reconnaissent comme un peuple dispersé par l'histoire et par l'infortune, diaspora à l'égard de laquelle la création d'Israël a introduit un élément nouveau : s'étant longtemps considérés sans terre, les Juifs en ont virtuellement retrouvé une grâce à la conquête britannique puis sioniste de la Palestine ; malgré quoi la majorité d'entre eux préfèrent demeurer, là où ils ont la possibilité de choisir, dans les pays tiers dont ils sont citoyens à part entière. En amont de la question juive, intervient notamment l'aspiration nationale de pays comme l'Allemagne, désireuse, au sommet de la démence nazie, de rassembler en un seul bloc débarrassé de toute souillure étrangère (juive y comprise) tous les germanophones d'Europe. Le nazisme a utilisé à l'extrême un sentiment national trop à l'étroit dans les frontières étatiques que lui avait imposées le *Traité de Versailles. Versailles* ne survient pas ici par hasard : à partir des tractations impérialistes européennes qui entourent les réaménagements géopolitiques internationaux subséquents à la Première Guerre mondiale, on peut tracer un fil rouge qui relie la volonté revancharde allemande, l'exacerbation de la question juive en Allemagne, le démembrement de l'Empire ottoman et la question palestinienne. Toute l'Europe de l'Est vit encore les contrecoups du démantèlement de l'Empire austro-hongrois. La question nationale surgit donc fréquemment, et le plus souvent à retardement, de ce que les peuples entendent reprendre en main un destin dont ils n'ont pu se rendre maître devant l'intervention des puissances étrangères. Mais encore y faut-il une volonté collective.

La dimension subjective est ici fondamentale. Il ne suffit pas qu'il y ait inadéquation entre le territoire de l'État et la collectivité considérée. Si la question nationale ne dépendait que de cette inadéquation, elle se poserait dans presque tous les pays du monde, tant est rare, nous l'avons vu, la coïncidence entre les peuples et les frontières étatiques. Il faut donc que cette inadéquation soit mal vécue, qu'elle fasse problème. Sans doute, la répression, l'assimilation forcée ou la nature du système politique en place peut en refouler ou en retarder la manifestation, comme le montre la résurgence des nationalismes en Europe de l'Est depuis le début des années quatre-vingt-dix. Mais cette ébullition n'est pas purement « nationaliste », elle résulte d'un désir général d'autonomie et de liberté qui n'a pas trouvé à s'exprimer pendant les décennies d'un régime bureaucratique centralisé et étouffant. Devant les dures réalités d'un libéralisme dont on attendait naïvement des miracles, la déception peut prendre le moule de la revendication identitaire, la révolte emprunter au sentiment national que la crise économique et sociale rend plus facile à enflammer : comme toujours l'autre devient le bouc-émissaire idoine. En réalité, la question nationale n'apparaît jamais seule. Elle est presque toujours ravivée, voire suscitée par des insatisfactions d'un autre ordre (par exemple, dans le cas allemand, les crises économiques de 1923 et 1929 comptent autant que le diktat de *Versailles*, avec lequel, il est vrai, elles ne sont pas sans lien).

Les exemples évoqués ci-dessus montrent que la question nationale se présente sous des formes multiples qu'il serait assez vain de vouloir classer en catégories. L'importance décisive de la subjectivité dans cette question fait de chaque revendication nationale un cas particulier, irréductible à toute définition extérieure. Personne ne peut dire *pour un autre* sur la base de quels critères tel ou tel groupe est autorisé à se définir et à s'organiser politiquement, même s'il est clair que cette définition est conditionnée par des éléments extérieurs et même antagoniques à lui. Ce n'est pas, par exemple, parce que le sionisme intervient historiquement en tant qu'élément objectif dans la définition du Palestinien (qui, effectivement, ne serait sans doute pas palestinien sans lui) qu'il lui appartient, à lui sioniste, de dire que le Palestinien n'existe pas ou qu'il constitue « un Arabe comme les autres ». Car le sioniste à son tour n'accepterait pas, et avec raison, que des non-juifs récusent l'existence d'un nationalisme juif sur la base d'un examen « scientifique » de ce qui constitue « objectivement » l'appartenance juive.

Quel que soit le rôle qu'y joue l'altérité, l'identité nationale se définit de l'intérieur, tant dans sa substance que dans ses conséquences politiques. La question de savoir si une collectivité peut s'instituer politiquement sous la forme qui lui convient (État souverain, État fédéré ou toute forme imaginable) dépend de la volonté de cette collectivité et du rapport de force – ou constellation d'intérêts – dans lequel elle s'inscrit. Au Québec, la question nationale demeurera dans l'incertitude aussi longtemps qu'une majorité ne sera pas prête à s'assumer avec les risques et les responsabilités que cette affirmation comporte. L'indécision actuelle reflète le fait que jusqu'ici la majorité a trouvé le confort qu'elle désirait dans l'ambiguïté de sa double appartenance et dans la maîtrise (si tant est que le mot convienne) d'un demi-État provincial subordonné à l'État fédéral.

L'importance décisive de la subjectivité dans la perception et dans la revendication de l'identité nationale explique pourquoi nous n'avons pas encore donné une définition de la nation : une telle définition est rigoureusement impossible dans la généralité, sauf à dire tautologiquement qu'une nation est une collectivité qui se pense telle et qui prend les moyens pour se constituer en tant que telle. Cette définition circulaire, auto-référentielle, pose la question sans la résoudre. En d'autres termes, les problèmes qui surgissent de sa mise en œuvre restent entiers ; notamment celui, crucial, de savoir ce que deviennent les minorités qui n'ont a priori aucun motif de s'identifier à la nation qui se constitue en État ou qui, à tort ou à raison, s'en sentent exclues. Ces problèmes n'ont pas de solution théorique.

À partir de ce que nous savons maintenant du processus identitaire, il est tout de même possible de faire une distinction politiquement capitale entre : 1) la *réaction nationale*, forme défensive, conservatrice, exclusiviste de l'identité collective qui résulte d'une peur irréfléchie de disparaître, dont le résultat est toujours d'une façon ou d'une autre meurtrier ; et 2) la *responsabilité nationale*, forme ouverte, novatrice de l'identité qui réfléchit à ses fondements et accepte de les repenser en fonction d'un projet dans la formulation et la réalisation duquel l'autre est a priori bienvenu. Le désir de s'assumer et la peur de mourir n'ont pas les mêmes conséquences. Si l'identité n'est pas remise en cause, la peur l'emporte avec son interminable cortège d'incompréhensions et de haines.

Cette conclusion provisoire n'implique pas que le concept de nation ne mérite pas d'être discuté. Mais il convient de l'examiner dans ses diverses versions historiques et dans son rapport avec l'État. Il y a là en effet des questions qui échappent à la seule subjectivité et dont le développement n'a de sens que dans la perspective historique de l'émergence de l'État moderne, qui fait l'objet du chapitre suivant.

CHAPITRE 2

L'ÉTAT MODERNE DANS LA SOCIÉTÉ MONDIALE

1. Les éléments de la question

Parler d'« État moderne » et de « société mondiale », c'est déjà beaucoup s'engager. Ces deux concepts renvoient à des réalités problématiques. Le premier suppose une idée claire de la modernité, le second l'existence d'une communauté internationale minimale. Or, contrairement à ce qu'on pourrait croire, la modernité prête à ambiguïté et la communauté internationale n'est peut-être qu'une fiction.

Sans avoir à nous prononcer immédiatement sur la nature de l'État contemporain (en Occident) ni sur la qualité des relations internationales actuelles, nous pouvons tout de même partir du double constat suivant : 1) le pouvoir politico-militaire, sur l'ensemble de la planète, est normalement concentré, voire monopolisé, par les appareils étatiques, tant et si bien que l'exercice d'un pouvoir du même ordre par des organismes privés (mafia, cartel de la drogue, mouvements politiques armés) est considéré comme une anomalie, comme le signe que l'État ne contrôle pas son espace de juridiction ou n'existe tout simplement plus ; 2) le pouvoir économique, en revanche, répond à une tout autre logique, partagé qu'il est entre les pouvoirs publics et les entreprises privées ; entreprises dont le rayon d'action virtuel, a priori, ne connaît pas de frontières et dont les activités concrètes tissent à travers le marché mondial un réseau complexe de rapports et d'intérêts économiques qui constituent une sorte de société civile transnationale qu'on peut aussi appeler plus simplement économie ou société mondiale.

À cette société mondiale animée d'une dynamique planétaire ne correspond aucune instance politico-militaire de même portée. Jusqu'à preuve du contraire l'ONU ne constitue qu'un forum, un centre de discussion et, dans le meilleur des cas, un lieu de concertation pour les États membres. Que certains d'entre eux, au premier rang desquels les États-Unis, utilisent les instances onusiennes pour donner une couverture idéologique à leur politique de puissance, ne signifie pas encore qu'il existe là un pouvoir supranational indépendant doté d'une force exécutoire. La société mondiale elle-même n'est pas non plus, et pour cause, soumise à une régulation unifiée. Par définition, la domination de l'entreprise privée y multiplie les pôles de décision, malgré l'existence de regroupements d'intérêts très puissants à l'échelle mondiale, appelés tantôt firmes transnationales, tantôt multinationales – cartels qui n'en restent pas moins en concurrence les uns avec les autres et qui ne sont jamais totalement à l'abri de la percée sur le marché de nouveaux venus.

Malgré l'anarchie relative qui résulte de la multiplicité de ses centres de décision, l'économie mondiale est fortement hiérarchisée et, surtout, mue par une logique univoque dont Marx, dès le milieu du XIXe siècle, a saisi la dimension planétaire. La dynamique de l'accumulation capitaliste sans cesse relancée par la compétition et l'innovation technique traverse plus que jamais les frontières étatiques et se joue des diverses législations qu'elles abritent. Loin de constituer un obstacle au déploiement des entreprises transnationales, les rivalités inter-étatiques leur offrent le plus souvent un terrain d'action très propice. En l'absence de règles communes effectives, les firmes exploitent cette incohérence au mieux de leurs intérêts, la plupart des États étant disposés à faire de multiples concessions, voire de la surenchère, pour attirer les investissements extérieurs sur leur territoire, quand il ne s'agit pas tout simplement d'y conserver ceux qui s'y trouvent déjà.

De façon générale, il semble que les États, compte tenu de leur taille et de leur niveau de développement, sont tous plus ou moins soumis aux lois d'un marché mondial en constante expansion, dont les exigences croissantes mettent apparemment en cause l'exercice de leur souveraineté ou à tout le moins diminuent sa portée effective. On peut en effet se demander à juste titre si, face à ce qu'on appelle les impératifs du marché, un projet de société reste possible. De toute évidence un tel projet est, pour longtemps encore, impensable à l'échelle mondiale, où les inégalités ne cessent de se creuser dans un réseau dominé par les rapports de force, domination dont le cynisme incite justement à douter de l'existence d'une communauté internationale digne de ce nom. Mais le projet est également en péril dans la plupart sinon dans la totalité des pays du monde, y compris depuis les années quatre-vingt dans les sociétés occidentales, au sein desquelles les écarts de revenus et les disparités sociales prennent une dimension alarmante, avec l'augmentation rapide de la masse de gens que la compétition internationale laisse en dehors du circuit économique. Il devient difficile de parler de projet de société là où, comme à Montréal, près du quart de la population vit en dessous du seuil de la pauvreté et ne dispose pas de quoi répondre à ses besoins élémentaires.

Les difficultés relatives à l'insertion de l'État contemporain dans l'économie mondiale font l'objet de très nombreuses études, parmi lesquelles plusieurs s'adressent à la question de l'impact socio-économique des firmes transnationales et scrutent les rapports complexes que ces dernières entretiennent tant avec leurs pays d'origine qu'avec leurs pays d'accueil. Il ne s'agit pas ici d'ajouter à la littérature existante sur un sujet souvent et quelque peu abusivement présenté comme nouveau, mais de procéder plutôt à une mise en perspective historique des problèmes que la mondialisation de l'économie pose à l'État contemporain dans la réalisation du projet de la modernité. Ces problèmes sont en effet inséparables de la genèse de l'État moderne, qui coïncide, et non pas par hasard, avec celle de l'économie mondiale. Notre perspective historique réunit donc en une seule problématique les questions de l'État, de l'économie et de la modernité. Cette problématique, on s'en doute, est extrêmement complexe, et nous ne pouvons pour l'heure qu'en dégager les grandes lignes, au prix d'un certain nombre de simplifications qui, sans rendre justice aux mille détours de l'histoire, permettent d'entrevoir la profondeur des problèmes que nos sociétés vivent aujourd'hui, étant entendu que nos préoccupations, ici, portent essentiellement sur les sociétés occidentales, même si pour comprendre ces dernières il est nécessaire de les situer dans leur rapport historique avec le monde.

Il s'agit de montrer tout d'abord comment ce qu'on appelle « l'État territorial moyen » émerge et s'affirme dans l'Europe du XVIe siècle en même temps que les grandes explorations maritimes ouvrent la voie au commerce transcontinental et contribuent à jeter, avec le concept de Renaissance, les bases de l'idée de modernité. Mouvement des navires, mouvement des astres, mouvement des esprits, tout est lié en une période consciente de vivre de grands changements, au cours de laquelle se met en place en Europe occidentale une nouvelle topographie politique, économique et mentale du monde. Les changements, en effet, ne sont pas seulement géographiques : pour les gens de la Renaissance, ce sont aussi les espaces social et mental qui se modifient. Cette nouvelle topographie contribue puissamment à façonner un monde et une vision du monde dont nous demeurons aujourd'hui largement tributaires.

2. Renaissance et « temps du monde »

La Renaissance inaugure ce que Fernand Braudel appelle *Le Temps du monde*, titre qu'il donne au troisième tome de sa magistrale trilogie, *Civilisation matérielle, Économie et Capitalisme, XV*ᵉ *– XVIII*ᵉ *Siècle*, parue chez Armand Colin en 1979 et qui fait date dans la compréhension d'une période cruciale pour l'Europe et pour le monde. Cruciale en ce qu'elle prépare l'avènement du grand capital, de la technique moderne et des sociétés industrielles, qui sont encore fondamentalement les nôtres aujourd'hui. Tout le monde n'est pas forcément d'accord avec cette dernière assertion : certains disent aujourd'hui que nous sommes entrés dans une nouvelle période, « post-industrielle » ou « post-moderne », de notre histoire. La question de savoir si le concept de post-modernité n'est qu'une mode ou s'il correspond à un tournant radical de nos sociétés n'a aucun sens en dehors de la perspective historique qui permet tout d'abord de situer modernité et modernisation dans leur différence et leur interaction mutuelle. Ce qu'elles représentent l'une et l'autre, pour nous aujourd'hui, nous ne le comprendrons justement qu'en remontant à cette période de « renaissance » qui, selon Braudel, ouvre au temps du monde.

L'importance des transformations qu'apporte la Renaissance n'apparaît clairement, pour nous que cette période « archaïque » ne frappe plus par sa nouveauté, qu'à condition de nous représenter la vision du monde que pouvait avoir la Chrétienté occidentale un siècle encore avant l'expédition de Christophe Colomb (1492). Du monde, cette Chrétienté sait seulement qu'il s'étend loin vers l'est, jusque vers une Chine qu'on ne connaît guère qu'à travers la description qu'en donne Marco Polo dans son *Livre des merveilles du monde*, récit dicté à un compagnon de prison vers 1298 et accueilli par ses contemporains avec quelque doute quant à sa véracité. Vers l'ouest, l'immensité sans limites d'un océan dont on ignore que les Vikings l'ont déjà fréquenté… La rotondité de la Terre n'est alors qu'une hypothèse, et son exploration ne fait guère partie des préoccupations générales. Dans la mesure où elle regarde vers l'extérieur, la Chrétienté occidentale se tourne avant tout vers la Méditerranée, où la civilisation arabe et musulmane, au contact de laquelle elle est entrée dès le XIᵉ siècle avec la

Reconquista espagnole puis à travers les Croisades, a beaucoup à lui apprendre en maints domaines du savoir (philosophie, mathématique, astronomie, médecine, musique, etc.).

Ce contact avec l'Islam constitue la première ouverture d'un monde terrien – exception faite de quelques villes maritimes italiennes – passablement replié sur lui-même et que le démembrement de l'éphémère empire carolingien, lui-même peu tourné vers les mers, laisse morcelé et vulnérable aux invasions extérieures, normandes notamment. De cette insécurité chronique naît la société féodale, organisation pyramidale de défense et d'entraide restreinte liée à la possession de la terre, au sommet de laquelle l'autorité morale du roi ou de l'empereur demeure comme témoignage d'une centralisation étatique révolue, dont l'Empire romain constitue le paradigme mythique. Hormis l'institution féodale, en effet, les formes historiques classiques de l'organisation politique alors connues sont la cité et l'empire : d'une part, le petit État que forme la ville et son arrière-pays (qui n'exclut pas une expansion impériale, comme en témoignent chacune à sa façon Athènes, Rome et, plus près de nous, Venise) ; d'autre part, le vaste ensemble généralement assez disparate, aux frontières plus ou moins bien définies, que gouverne un pouvoir central dont l'autorité effective varie dans le temps et l'espace.

Ce bref rappel fait évidemment injure à la variété presque infinie des formations sociales qui jalonnent l'histoire. Il a pour principale commodité de permettre de situer l'émergence dans la Chrétienté occidentale d'un phénomène politique qui peut y paraître nouveau par rapport aux trois points de référence usuels qu'étaient alors la cité, l'empire et le fief. On a, après coup, baptisé ce phénomène d'un nom boiteux : « l'État territorial moyen » (ÉTM ou, en abrégé, État territorial). Cette formule bâtarde exprime bien l'embarras que suscitent la chose et sa dénomination. Mais elle reste toujours moins trompeuse que le concept galvaudé d'État-nation et moins anachronique que celui d'État moderne, dont l'ÉTM constitue tout au plus le support ancestral et l'embryon administratif. C'est dire qu'il est plus facile de définir la chose par la négative que par l'affirmative. L'ÉTM, tel qu'il apparaît dans l'Europe occidentale du XVe siècle, est donc un espace territorial beaucoup plus vaste qu'une cité (même s'il a pu débuter ainsi) et nettement plus resserré qu'un empire ; il est *potentiellement* plus homogène, donc mieux gouvernable que l'empire ; il est doté d'une administration centrale souveraine relativement efficace, dont les ramifications doublent ou remplacent peu à peu la hiérarchie régionale antérieure, qu'elle soit ou non de type féodal.

Cette laborieuse définition n'épuise pas le sujet, mais elle suffit à situer l'unité géopolitique nouvelle dont l'Angleterre et la France représentent les paradigmes historiques et qui va servir de base à l'édification de l'État moderne. État qu'on a, en vertu d'une collision conceptuelle dont nous verrons plus loin la raison, malencontreusement baptisé « État-nation ». Plutôt que d'avoir une définition rigoureuse (et rigoureusement impossible) de l'ÉTM, il importe surtout de comprendre ce que signifient son émergence et sa consolidation pour l'Europe : l'État territorial impose sa souveraineté au détriment de l'Empire (ou Saint Empire romain germanique) et, le cas échéant, contre la Papauté. L'incapacité qu'éprouve Charles Quint (1500–1558) à imposer son autorité en Europe malgré l'immensité de ses possessions, ou plutôt à cause d'elle, y consacre l'échec définitif de l'idée d'empire. Les principaux États occidentaux dont l'unité et la puissance s'affirment au XVIe siècle, Espagne, France, Angleterre, Pays-Bas, se mettent chacun à construire leur empire particulier hors d'Europe, dans ce qu'on peut appeler la première course à l'expansion coloniale européenne. Celle-ci s'effectue dans le sillage des grandes explorations maritimes que le Portugal inaugure dès la seconde moitié du XVe siècle avec la circumnavigation de l'Afrique, continent qui apparaît peu à peu, au fur et à mesure des explorations côtières, dans sa véritable dimension, jusqu'alors insoupçonnée des Européens.

La nouvelle topographie géopolitique de l'Europe révèle toute sa portée dans ses répercussions mondiales. La pluralité des souverainetés et les rivalités qui en résultent ne comptent pas pour rien dans la course qui s'instaure. Chacun cherche à accroître sa richesse et sa puissance en allant chercher des ressources outre-mer. L'exploration de routes maritimes intercontinentales ouvre des voies nouvelles au commerce, qui favorisent les puissances atlantiques au détriment des villes méditerranéennes (italiennes surtout), ce qui provoque à long terme un déplacement décisif du centre de gravité économique de l'Europe. Mais le bouleversement de la carte maritime du monde n'a pas que des conséquences économiques : l'expansion matérielle et la domination qui l'accompagne entraînent aussi d'importants changements dans les représentations.

Représentation de l'espace, représentation du temps, représentation du monde et de la vie. C'est tout cela à la fois. La nouvelle représentation de l'espace découle logiquement des grandes explorations et de la cartographie planétaire qui en résulte. La vérification de la rotondité de la Terre conduit paradoxalement à sa mise à plat par la projection de Mercator (1512–1594), qui façonne encore aujourd'hui notre vision du monde. Le monde, pour la première fois dans sa globalité, peut être appréhendé d'un seul point de vue, celui de l'Europe, qui *se* situe au centre du quadrilataire qu'elle déploie pour représenter les océans et les continents ; planisphère sans lequel il n'y a pas de centrage possible (une sphère n'a de centre que dans sa profondeur). Cette projection du monde à partir de l'Europe impose une perspective qui n'est pas sans parenté avec celle apparue auparavant dans la peinture : Qu'est-ce que la perspective, en effet, sinon une réduction à deux dimensions d'un espace tridimensionnel ? Autre mise à plat obéissant à une règle rigoureuse appliquée à partir d'un point de fuite qui n'est rien d'autre qu'un centre fictif situé derrière la toile mais déterminé par le regard du peintre. Tout comme la perspective, la projection de Mercator réduit l'espace à la perception d'un regard, qui à cette époque n'appartient qu'à l'Europe, même s'il pourra par la suite se déplacer et représenter le planisphère à partir des États-Unis ou du Japon. À noter que nous n'avons toujours pas, aujourd'hui, de représentation du monde à partir, par exemple, de l'Afrique, malgré les efforts qui ont été déployés pour « démercatoriser » notre vision de la planète – les proportions ont été rétablies, mais le centrage demeure le même.

À cette perspective spatiale s'ajoute une perspective historique. Bien plus : l'idée même de perspective, en histoire comme dans les arts visuels, apparaît avec la Renaissance. Là encore, c'est cette dernière qui *se* situe dans une chronologie qu'elle inaugure à partir de la définition qu'elle se donne d'elle-même. En effet, le trait fondamental de l'imaginaire renaissant est qu'il se qualifie lui-même. En se nommant, la Renaissance se décrit comme un réveil qui survient au terme d'une longue léthargie, elle se présente à ses propres yeux comme un retour aux sources, comme une reprise de contact avec l'Antiquité gréco-romaine. Précisons tout de suite qu'il ne s'agit pas d'un retour cyclique au même. Les penseurs de la Renaissance ont beau reconnaître la supériorité intellectuelle, philosophique, morale des Anciens dont ils disent s'inspirer, ils se considèrent à maints égards plus avancés qu'eux. N'ont-ils pas, après tout, vaincu la peur du vide océanique et accompli le tour du monde ? N'ont-ils pas, avec Copernic, mis le Soleil à sa place au centre de son système ? N'ont-ils pas la poudre à canon, l'imprimerie, la boussole, le gouvernail d'étambot ? Supériorité technique qui s'exprime à l'époque dans cette idée très répandue : Si les Anciens sont des géants, nous (gens de la Renaissance) sommes des nains montés sur leurs épaules ; nous voyons donc plus loin qu'eux. Le respect dû à la pensée antique n'empêche donc pas que se développe la notion de progrès, et avec elle toute une conception de l'histoire, marquée par la flèche du temps. Ce regard qui va plus loin relie le présent au passé en un gigantesque pont qui enjambe mille ans d'histoire.

L'idée même de renaissance instaure donc une perspective linéaire de l'histoire humaine qui tronçonne cette histoire en trois temps bien distincts : l'Antiquité (ou première naissance), le Moyen Âge (le temps qui sépare la première naissance de la seconde) et les Temps Modernes (qui commencent avec la seconde naissance). Malgré l'inadéquation de cette périodisation tripartite pour toutes les autres civilisations, malgré la simplification injustifiable qu'elle représente pour l'Europe elle-même de l'avis de la plupart de ses propres historiens aujourd'hui, ce schéma inepte domine encore l'imaginaire collectif. Depuis longtemps les médiévistes européens s'insurgent contre les images négatives qui accompagnent l'idée de Moyen Âge : concept absurde qui enferme comme dans une sombre parenthèse le millénaire qui sépare la fin de l'Empire romain d'Occident de la Renaissance. Mais cette dénomination reste si fortement ancrée dans les esprits que les médiévistes eux-mêmes doivent se résigner à la reprendre, même s'ils travaillent à en changer la signification. Il est vrai d'ailleurs que nous ne percevons plus aujourd'hui ce millénaire comme aussi monolithique et « moyenâgeux » qu'autrefois. De la périodisation instituée par la Renaissance, néanmoins, nous avons gardé intact l'essentiel : la conception d'un temps historique linéaire qui, comme le dira Hegel, va d'est en ouest et prépare l'avènement de la civilisation moderne et de l'Homme universel en Occident.

Ces nouvelles représentations de l'espace et du temps inaugurent ainsi une nouvelle vision du monde dont nous sommes encore beaucoup imprégnés aujourd'hui. Mais les grandes explorations transocéaniques, le sentiment d'avoir dépassé des frontières longtemps considérées comme infranchissables, l'accès à de vastes espaces à découvrir et à exploiter, tout cela tend à revaloriser l'aventure humaine, à donner un attrait nouveau à la vie terrestre, à l'en deçà, dont les possibilités paraissent soudain grandies. Par ailleurs, le sentiment religieux subit les contrecoups de la Réforme, surgie de la révolte luthérienne contre la corruption de l'Église (1517) : loin de constituer un lieu d'unité et de rassemblement, la religion devient ouvertement ce qu'elle était déjà sournoisement, un terrain de dissension doctrinale dont les princes européens ne manquent pas de tirer profit et argument dans leurs luttes politico-militaires.

Tel est le contexte général dans lequel se consolide et se développe l'État territorial en Europe occidentale. Une Europe politiquement morcelée, spirituellement divisée et qui constitue néanmoins à travers ses bigarrures un ensemble économique et social lancé dans une même aventure terrestre au fil de laquelle le monde devient le terrain de ses entreprises concurrentes. Cet ensemble est ce que Braudel appelle l'économie-monde européenne, qu'il ne faut pas confondre avec l'économie mondiale qui va se construire à partir d'elle. À cette économie-monde ne correspond donc aucun empire, aucune structure géopolitique de même dimension, aucun centre de pouvoir politico-militaire de même importance. C'est son originalité historique. Loin de jouer contre l'Europe, cette originalité représente au contraire, on l'a vu, un facteur non négligeable de son expansion. C'est en partie grâce à l'absence d'empire, grâce à la pluralité de pôles de décision rivaux que l'économie-monde européenne étend son réseau à l'échelle de la planète *en même temps* que se confirme l'ÉTM. Il serait hasardeux de parler ici de causalité. Mais l'essentiel à retenir est la concomitance des deux phénomènes : expansion de l'économie-monde et construction de l'État territorial marchent ensemble. Cette simultanéité dresse la toile de fond à partir de laquelle nous pouvons maintenant traiter les rapports entre l'État et la société civile.

3. L'État territorial et la société civile

Sans prétendre pouvoir pénétrer toute la complexité des rapports historiques entre l'État et la société civile et venir à bout de l'inépuisable débat que suscite l'étude de cette question, à commencer par la discussion sémantique sur le concept même de société civile, nous allons néanmoins tenter de fixer quelques points de repère susceptibles de faire comprendre, dans ses grandes lignes, la dynamique qui contribue, à partir de l'ÉTM, à l'édification de l'État moderne. L'hypothèse est en effet qu'il s'instaure entre le pouvoir monarchique de l'État territorial et les forces économiques et sociales du territoire qu'il administre une sorte de coopération conflictuelle qui contribue à les consolider tous les deux.

La lente monopolisation du pouvoir par l'institution monarchique n'est réalisable qu'à travers la diminution des prérogatives seigneuriales, qu'à travers le remplacement progressif des structures féodales, du moins d'une partie d'entre elles, par un corps administratif dont les membres ont à répondre directement devant le roi. L'emprise de ce dernier peut évidemment s'étendre par d'autres moyens : alliances, mariages, arbitrage, appuis financiers, guerres. Mais la consolidation des acquis exige une centralisation que les liens de vassalité ne permettent pas, en raison de l'autonomie qu'ils laissent aux grands seigneurs. Cette limite est d'autant plus manifeste sur le plan militaire, domaine évidemment crucial, puisqu'il n'est pas de monopole sans force armée pour l'imposer : une monarchie de type féodal ne peut rassembler d'armée puissante qu'avec l'appui des grands, qui restent maîtres des contingents qu'ils fournissent. Aucune politique unitaire d'envergure ne peut durer dans ces conditions. Aussi le roi cherche-t-il à échapper à cette limite en se donnant les moyens de lever ses propres troupes sur l'ensemble du territoire, voire en les louant à l'étranger. Lever des troupes coûte cher. Le roi doit financer lui-même ce que les seigneurs lui fournissaient « gratuitement ». Il lui faut donc se procurer des ressources supplémentaires, et la possibilité de les réunir dépend à son tour de la prospérité du royaume.

Ces nouvelles richesses ne pouvant être puisées aux coffres des grands féodaux, dont la puissance première dépend de la terre et du contrôle qu'ils exercent sur elle, la royauté doit donc chercher appui du côté d'une autre classe, dont la prospérité est susceptible de se développer en dehors de la propriété terrienne : marchands, artisans, commerçants, financiers, pour la plupart habitants des villes, qui ne demandent qu'à pouvoir travailler librement à leur enrichissement en déployant leurs activités hors des contraintes seigneuriales. C'est ce à quoi le roi peut les encourager en leur octroyant diverses franchises, c'est-à-dire une certaine autonomie dans le gouvernement de leurs propres affaires, autonomie qui rend par ailleurs la ville directement dépendante du pouvoir royal qui la lui garantit. À ces mêmes bourgeois, la royauté pourra également vendre des charges publiques qui de ce fait échapperont à la noblesse. Ainsi, en rivalité avec cette dernière, grandit dans l'appareil étatique comme dans la société une nouvelle classe sociale, la bourgeoisie, qui constitue l'élément moteur de ce qu'on appellera plus tard la société civile. Celle-ci, dans sa généralité, n'est donc rien d'autre que l'ensemble des forces économiques privées du pays.

Voilà pourtant une définition qui sous son apparente simplicité recèle une double ambiguïté : premièrement, en ce que l'État monarchique représente lui-même un agent important de l'économie, non seulement comme législateur et incitateur, mais aussi comme entrepreneur – par quoi l'on voit que cette double fonction, de nos jours, n'est pas nouvelle ; et deuxièmement, en ce que la bourgeoisie ne limite pas ses activités au territoire de son État d'origine. Dès le XVe siècle au moins, parallèlement à la montée du pouvoir monarchique, apparaissent de grandes entreprises privées dont le rayon d'action déborde largement le territoire royal. Ainsi Jacques Cœur en France (1395-1456), dont le réseau commercial, selon Braudel, s'étend de l'Espagne au Levant en passant par l'Italie, dont les activités touchent tant aux mines, aux métaux, aux draps, aux épices qu'aux banques et qui deviendra le créancier, le banquier puis le grand argentier de Charles VII, avant d'être accusé de malversation et mis en prison (dont il s'enfuira après trois ans). Une partie de la bourgeoisie agit donc à une échelle que nous appellerions aujourd'hui « transnationale ». C'est dans son activité que Braudel voit la naissance du capitalisme, dont la sphère d'intervention et d'accumulation dépasse le territoire de l'État. Par définition, les capitalistes, à la différence des autres agents de l'économie, « voient loin » dans le temps comme dans l'espace. Ce sont eux qui constituent le fer de lance de la société civile.

C'est dire que cette société civile avec laquelle l'administration royale est en interaction dans le jeu de bascule qu'elle joue entre les intérêts des nobles et des bourgeois, cette économie qui est à la base de la richesse du royaume et dans laquelle la noblesse elle-même ne manque pas de s'insérer, va au-delà des limites territoriales de l'État. Dès le début, au fond, elle se constitue à la fois au-dedans et au-dehors de lui.

Ce constat n'a rien de très étonnant si l'on se rappelle que la montée de la société civile, tout comme celle de l'État territorial, coïncide avec le vaste mouvement exploratoire qui prélude au développement du commerce outre-mer. *Et* la multipolarité étatique *et* l'expansion économique de l'Europe au-dehors empêchent la monopolisation de l'économie par le pouvoir politique et favorisent ainsi le développement d'une dynamique économique propre dont le renforcement à long terme, avec des hauts et des bas, avec des moments de flux et de reflux, ne s'est jamais démenti. Aujourd'hui encore nous nous inscrivons dans cette dynamique, et même aujourd'hui plus que jamais, tant fut puissante l'impulsion qu'elle reçut depuis deux siècles de la grande industrie et, de façon plus générale, de la technique même. Cette technique n'est pas simplement le bras armé de la science, elle traverse l'ensemble du social et doit être examinée à la lumière des concepts de modernité et de modernisation.

4. La modernité et l'État moderne

En quoi l'État territorial monarchique devient-il « moderne » ? Pareille question exige au préalable une interrogation ordonnée sur le concept de modernité. Un concept, là encore, qui n'a pas fini de faire parler de lui. Comment pourrait-on en finir avec un terme qui ne recouvre peut-être aucune *réalité* historique... ? Si discuté soit-il, le concept de société civile, lui, renvoie tout de même à une sphère d'activité dont presque tout le monde reconnaît l'existence, même si la question de savoir s'il existe une sphère économique plus ou moins « indépendante » du social reste ouverte (à supposer que cette question ait un sens). Qu'il y ait donc, d'une façon ou d'une autre, de l'économique dans nos sociétés et à l'échelle mondiale, personne ne le conteste. Qu'il y ait de la modernité, en revanche, voilà ce dont personne ne pourrait jurer, si l'on prenait la peine de se demander ce que « modernité » signifie au juste.

Commençons par ce que la modernité n'est pas. Si paradoxal que cela puisse paraître, la modernité n'est pas quelque chose qui aurait débuté avec la Renaissance et qui serait en train de finir sous nos yeux. Elle est plutôt quelque chose qui *n'a pas (encore) eu lieu*, ou qui n'a eu lieu que très partiellement, très fragilement. En d'autres termes, comme le précise judicieusement Habermas dans *Le discours philosophique de la modernité* (1988), la modernité est un projet inachevé, voire avorté. Et c'est en tant que projet qu'il faut la comprendre sous ses divers aspects avant de pouvoir juger où nous en sommes par rapport à ce qu'elle promettait. Quel projet, donc, et à partir de quand ?

La tradition la mieux établie veut que le projet de la modernité naisse avec la période des Lumières vers la seconde moitié du XVIIIe siècle. Certains nuancent cette affirmation en faisant valoir que maints aspects de l'esprit moderne se manifestent déjà avec la Renaissance, moment à partir duquel nous avons vu que les historiens datent les Temps Modernes. D'autres remontent encore plus haut et font valoir l'importance décisive de ce que Jean Gimpel appelle *La révolution industrielle du Moyen Âge* (Paris, Seuil, 1975), titre qui parle de lui-même. Plus rares enfin sont ceux qui font valoir l'importance cruciale des apports de la civilisation musulmane dans l'avènement de la Renaissance et, par ricochet, dans l'idée de modernité. Personne en revanche ne doute que celle-ci se nourrisse de la pensée classique de l'Antiquité gréco-latine.

Nous voilà donc en pleine confusion : éléments matériels et idéels sont à nouveau mélangés, et la tâche serait bien ardue à celui qui aurait la prétention de fixer une fois pour toutes et de façon certaine le moment de l'apparition du projet de modernité. Cela n'a rien de très étonnant. L'histoire brasse indéfiniment les matériaux qui la constituent (vie matérielle, événements, pensée, concepts, découvertes, etc.), et ce brassage fait réapparaître à diverses époques, en divers lieux et sous diverses formes des idées qui ont déjà eu cours auparavant. Ainsi la modernité ne constitue-t-elle pas un projet clairement structuré surgi de pied en cap de la tête des philosophes des Lumières, mais plutôt un tissu de réflexions et d'aspirations nourries d'une certaine vision progressiste de l'histoire et de l'expérience plus récentes des révolutions anglaises (1649 et 1688), américaine (1776) et française (1789). Parler de projet au singulier, comme s'il existait un seul et unique ensemble d'idées et de principes qu'on puisse rassembler de façon cohérente sous l'étiquette de la modernité, est donc tout à fait abusif. C'est une commodité de langage qui recouvre une grande diversité d'idéaux en relation plus ou moins étroite et contradictoire les uns avec les autres. Aussi, avant de voir ce que la modernité signifie politiquement, faut-il accorder quelque attention à ses prémisses philosophiques et scientifiques.

4.1. Limites philosophiques et scientifiques de la modernité

Le désir de comprendre le monde au moyen d'un savoir réfléchi résultant du travail systématique de l'observation et de la raison ne date évidemment pas des Lumières et n'est pas exclusif à la civilisation occidentale. Ce désir, pour rester sur un terrain relativement familier, s'exprime nettement à travers la philosophie grecque, notamment chez Aristote. Au point que ce dernier pourrait être considéré comme un des plus grands précurseurs du positivisme qui gouverne les sciences actuelles, s'il n'y avait de lui à nous une grande différence d'esprit qui nous rend presque étrangers à ces anciens Grecs dont nous aimons tant à nous réclamer. Pour Aristote, la science sert à dévoiler la beauté du monde, beauté dont la connaissance, par degrés, nous rapproche du souverain bien. Cette aspiration n'a pas grand-chose à voir avec celle qui prétend faire de l'homme le « maître et possesseur de la nature », ambition tout à fait contraire dans sa démesure à l'esprit philosophique et scientifique grec, et qui paraît plutôt s'abreuver au récit biblique : « Soyez féconds et prolifiques, remplissez la terre et dominez-la. Soumettez les poissons de la mer, les oiseaux du ciel et toute bête qui remue sur la terre », est-il dit dans la Genèse (I, 28). En sorte que l'attitude scientifique moderne, s'il fallait absolument lui trouver des origines, résulterait d'une combinaison de la curiosité grecque (avec cette « gratuité » qu'on retrouve chez certains de nos plus grands savants contemporains) et de l'ambition biblique telle que la reprend, notamment, Descartes. Mais du moins, chez ce dernier, et contrairement à ce que laisse supposer un certain cartésianisme plat, le souci philosophique, voire religieux, de la vérité reste-t-il inséparable de l'investigation scientifique.

Or, telle est précisément l'unité épistémologique qui se rompt avec l'époque des Lumières. Rupture à laquelle Kant apporte une caution philosophique qu'on peut qualifier de fondatrice, même si elle légitime une dichotomie qui se trouve probablement déjà à l'œuvre depuis un certain temps dans le travail scientifique. En faisant la critique d'une raison métaphysique qui cherche ses fondements dans l'observation du monde sensible, en distinguant la *chose en soi*, par définition inaccessible, du *phénomène*, tel que nos sens peuvent l'appréhender et qui se présente à nous comme le seul objet légitime de la recherche scientifique, Kant sépare la science de la quête de la vérité en tant qu'absolu, même s'il croit lui-même en l'existence de cet absolu. De cette séparation il résulte que la science peut poursuivre son bonhomme de chemin sans plus avoir à se soucier de Dieu, de transcendance ni de vérité métaphysique. Certes, plus près de nous et bien après Kant, Einstein a dit de Dieu qu'il ne jouait pas aux dés, témoignant ainsi de ce que, pour le grand savant qu'il était, la vérité scientifique finirait tôt ou tard par rejoindre la vérité divine. Mais la coupure épistémologique kantienne ne met pas en cause la conviction intime du savant ni ne décrète une quelconque incompatibilité entre foi et science. Simplement, elle dit que la seconde n'a plus *besoin* de la première pour avancer dans le monde sublunaire qui est le sien.

L'autonomie de l'activité scientifique trouve ainsi son fondement chez l'un des penseurs les plus rigoureux des Lumières, sommet philosophique d'une époque dont le mouvement général tend à placer la Raison avec un R majuscule au principe de l'univers et au centre du gouvernement des choses humaines. Sans doute, même au plus fort du règne de la raison, son hégémonie demeure contestée et jamais aucune époque n'a accepté sa souveraineté sans partage. Mais s'il est un temps où, plus qu'en d'autres, on a cru en elle, c'est bien celui des Lumières. Or, l'époque où s'affirme avec le plus de force la foi en la capacité de l'humanité (occidentale) d'éclairer son chemin est aussi celle où, sous l'égide et la poussée de cette croyance, commencent à se multiplier les savoirs et les raisons particulières qui les gouvernent. Détachés de l'aspiration générale qui les motive, libres de toute référence à l'absolu, ces savoirs édictent chacun leurs propres critères de vérité, en fonction de la manière dont ils définissent leur objet et au regard des conditions qui président à leur vérification. Ainsi ont proliféré, à partir d'un vaste espoir en une raison majeure mal définie et qui nous paraît maintenant beaucoup moins assurée qu'autrefois, des raisons instrumentales sectorielles, que nous avons de plus en plus de mal à réconcilier et à harmoniser en une action globale raisonnée et raisonnable sur le monde (l'essence de ce qu'on appelle aujourd'hui les problèmes écologiques trouve là sa racine épistémologique).

Les mésaventures de la raison n'ont évidemment pas des causes purement épistémologiques, comme nous le verrons plus bas. Mais la suprématie dans les sciences d'une rationalité calculatrice, que d'ailleurs on retrouve à l'œuvre dans l'économie, est un signe : le signe qu'au cœur même de la Nef de la Raison gît un principe d'efficacité et de rendement qui anime une foule de passagers de moins en moins clandestins dont la raison elle-même ne dominera pas les logiques particulières. Dans la mesure où le projet de la modernité comptait plus ou moins consciemment sur une logique globale harmonieuse pour s'édifier, cette attente, nous le voyons bien aujourd'hui, était épistémologiquement infondée. Nous aurons l'occasion de revenir plus en détail sur les prémisses et la portée de cette faille épistémologique au chapitre 4. Ce que nous venons d'en dire ici suffit à comprendre dans quel contexte philosophique et scientifique s'énonce le projet social des Lumières. Bien que la science ne soit pas seule en cause, le divorce qu'elle impose à ce qu'on imaginait être la raison n'est pas étranger aux déconvenues de la modernité politique.

4.2. La modernité en tant que projet politique

Le projet de la modernité politique n'est pensable qu'à l'horizon du triomphe de la Raison, un triomphe dont nous venons d'apercevoir le caractère imaginaire et qui, deux siècles plus tard, n'est toujours pas près d'advenir. Il importe néanmoins de préciser les contours de ce projet, car il n'a cessé de servir de référence à l'idéologie démocratique qui accompagne encore aujourd'hui la modernisation de l'État.

Au plan politique comme au plan philosophique, l'idéal de la modernité puise une bonne partie de sa substance dans la pensée de l'Antiquité gréco-romaine. Cet idéal part en effet du principe qu'il existe une « chose publique » (en latin *res publica*, d'où vient le mot « république ») qui est la « chose du peuple », étant entendu que le peuple n'est pas n'importe quel assemblage d'individus, mais « un groupe nombreux d'hommes associés les uns aux autres par leur adhésion à une même loi et par une certaine communauté d'intérêts » (Cicéron, *De la République*, I, 25). L'homme doit être ici compris au sens restrictif du mâle adulte libre qui a droit de cité : le citoyen. Cela fait du « peuple » un groupe très restreint qui, par exemple, dans l'Athènes de Périclès, « berceau de la démocratie », ne constituait probablement pas plus de 10% de la population, lorsqu'on sait que les femmes, les métèques et les esclaves étaient exclus de la vie politique de la cité. À Rome, la démocratie est encore plus problématique du fait que les citoyens sont hiérarchiquement divisés en trois ordres et n'ont pas tous les mêmes droits. Malgré ces limites sévères, l'idée d'une chose publique commune à l'ensemble des citoyens suppose théoriquement la reconnaissance d'une égalité de principe devant la loi qui sera reprise et élargie par les révolutionnaires français ; avec toutefois une restriction de taille, puisque la moitié au moins de la population adulte, les femmes, en restera encore exclue pendant plus d'un siècle.

Compte tenu de ces prémisses, le projet politique de la modernité peut être maintenant énoncé *dans son idéale généralité*. Tous les citoyens, sans discrimination de naissance, de sexe, de race, de langue, de religion, de classe, de parti, etc., sont égaux devant la loi et libres à l'intérieur de ses limites. Le respect de cette légalité est assuré par l'État qui est lui-même l'émanation de la volonté collective telle qu'elle s'exprime par le suffrage universel et qui agit en tant qu'arbitre impartial dans le cadre légal fixé par la constitution, elle aussi émanation de la volonté collective. Cette volonté générale apparaît donc centrale. D'elle tout dépend : les institutions, leur forme, leur bon fonctionnement, toutes choses nécessaires à ce qu'on appelle l'État de droit, par opposition au pouvoir arbitraire et aux privilèges de l'Ancien Régime.

Or, la définition de l'État de droit telle que nous venons de l'ébaucher ne dit encore rien ni sur ce que cette volonté générale vise ni sur la manière dont elle vient à se connaître elle-même. Il n'est pas même assuré qu'une collection de volontés particulières puisse la constituer. L'État de droit présuppose donc la réunion de deux séries de conditions problématiques : 1) que la volonté collective existe, ou du moins qu'elle peut se former, qu'elle s'exprime en connaissance de cause (tant sur elle-même que sur les circonstances qui entourent son expression) et qu'elle sait ce qu'elle veut ; et 2) que ce qu'elle veut est bon pour tous et que la majorité a toujours raison. Comme rien à priori ne garantit la réunion de ces conditions, l'État de droit est obligé de fonder sa légitimité sur un concept qui les présuppose rassemblées : le concept de nation.

4.3. L'utilité du concept de nation

La Nation, avec un N de majesté qu'elle ne mérite pas plus que la raison, fonde la légitimité et la souveraineté du pouvoir républicain en même temps qu'elle porte le projet qui lui est d'avance attribué et qui justifie l'État de droit : liberté, égalité, fraternité (le « Aimez-vous les uns les autres » du Christ fait programme politique). Si la nation ne voulait pas être libre, tolérante, égalitaire et fraternelle, rien de bon ne saurait émerger de l'expression de sa volonté souveraine. Aussi la nation assume-t-elle en quelque sorte au plan politique le rôle que joue la raison au plan scientifique : toutes deux en interaction l'une avec l'autre fonctionnent comme garants imaginaires du projet de la modernité. Raisonnable, la nation a raison et accomplit en elle le projet de la raison. Nous reviendrons plus bas sur ce qu'une telle attente présuppose. Pour l'instant il suffit de voir que malgré ce qu'il peut y avoir de démesuré dans ce qu'on attend d'elle, la nation n'en est pas moins indispensable comme idée, comme fondement. L'État a besoin d'une nouvelle légitimité qui fonde sa souveraineté : la mort du roi l'exige. Au nom de quoi, sinon, le jugerait-on ? Envers qui pourrait-il être coupable de trahison, si ce n'est envers la nation ? Mais cette nation, concrètement, historiquement, d'où vient-elle, sinon du long travail de la royauté elle-même ?

Le concept de nation n'aurait aucun écho dans les esprits, aucune puissance de légitimation s'il ne pouvait prendre appui sur une réalité historique. Et cette réalité, c'est l'État territorial, tel que nous l'avons vu se constituer et se consolider sous les efforts de la monarchie, avec son administration centrale, avec sa société civile et avec les nouvelles forces sociales qui grandissent en elle. Ces dernières en arrivent à mettre en cause les privilèges d'une noblesse de plus en plus parasitaire, que la royauté ne peut supprimer sans modifier radicalement ses propres assises. Même si elle survit symboliquement, voire comme ultime recours, dans un régime constitutionnel, c'est à la volonté de la nation que la monarchie doit désormais sa légitimité. La portée de ce déplacement symbolique est évidemment discutable : que la légitimation du pouvoir repose en une personne sacrée de droit divin ou en un concept sanctifié par la raison ne change finalement pas grand-chose. Ce transfert, qu'il se fasse violemment ou en douceur, correspond simplement à la modification des rapports sociaux. Tout compte fait, l'idée de nation est aux nouvelles forces dominantes ce que la couronne était à l'Ancien Régime. Le concept de souveraineté que la monarchie a réussi à imposer au fil des siècles n'a fait que changer de dépositaire.

C'est là, précisément, que réside le malentendu politique des Lumières. *En soi*, le transfert de souveraineté du roi à la nation ne garantit aucun changement qualitatif : il ne rend pas *ipso facto* le pouvoir meilleur. L'absolutisme le plus affirmé, d'ailleurs, se soutenait déjà implicitement de l'idée que le souverain œuvrait pour le bien commun, comme le résume la formule « L'État, c'est moi » chère à Louis XIV. Cette identification à l'État n'est pas seulement l'expression de l'arbitraire, elle implique aussi une responsabilité dont le souverain ne peut se dégager sans faillir. Inversement, du seul fait qu'il est investi dans la nation, le pouvoir ne saurait être d'avance blanchi de tout arbitraire. C'est pourtant ce qui guette le souverain, quel qu'il soit, s'il s'affranchit de tout principe supérieur et s'érige en absolu. Un despote éclairé vaut souvent mieux qu'une foule en colère, même s'il arrive des moments dans l'histoire où la colère de la foule est juste et salutaire. Mais ni la foule ni le despote ne *sont* le peuple, ils n'en représentent au mieux qu'une expression passagère, et c'est pourquoi l'idée de nation ou celle de toute autre collectivité générale définie sans discrimination (peuple, pays, électorat) reste indispensable à l'exercice de la souveraineté dans l'État moderne.

En résumé, le concept de nation (ou son équivalent) est nécessaire *en tant qu'expression et réceptacle d'un principe supérieur au pouvoir et aux instances qui l'exercent : le principe de bien commun.* Ce principe, toutefois, ne suffit pas ; en son nom tous les abus restent possibles. Aussi lui adjoint-on une série de garanties inviolables : les *Droits de l'homme et du citoyen*, devenus aujourd'hui les *Droits de la personne.* Cette inviolabilité demeurera pourtant toujours précaire, puisque nul autre que le souverain (peuple, nation, collectivité) ne sera jamais habilité à retrancher ou à ajouter quoi que ce soit dans la liste des droits fondamentaux. Seule, la personne n'en décidera jamais, sauf à se rebeller contre la société. Au nom de la collectivité, c'est le scrutin majoritaire, en dernière instance, qui jugera du droit de la personne à demander l'euthanasie, du droit de la mère à se faire avorter, du droit des parents à éduquer leurs enfants, etc., si révoltant que cela puisse paraître ; car seule la collectivité peut tracer la limite qui sépare le privé du public. En sorte que *le principe de bien commun* (qu'il s'exprime à travers l'idée de nation, de suffrage universel, de souveraineté populaire, etc.) sera toujours irrémédiablement entaché d'insuffisance. Le théorème de l'incomplétude que Gödel a formulé en mathématique s'applique à la souveraineté de la nation : aucun principe – a fortiori aucun système – ne saurait trouver en lui-même sa propre justification. Nous n'avons d'autre choix, en tant que collectivité, que de vivre dans cette incomplétude.

Dans la mesure où les Lumières avaient vu dans la nation l'expression, même virtuelle, d'une complétude, la volonté générale risquait d'être invoquée comme source d'infaillibilité. L'immense danger que comportait un tel absolu, fût-il placé dans les mains les plus vertueuses, est aujourd'hui patent. Mais l'insuffisance du concept de nation ne présente pas seulement un risque d'abus qu'un judicieux partage des pouvoirs suffirait à résoudre. Même là où les institutions s'équilibrent de manière à éviter les excès, l'expression de la volonté collective entraîne des problèmes dont un certain optimisme des Lumières avait sous-estimé l'ampleur et qui n'ont cessé de hanter nos sociétés jusqu'aujourd'hui.

4.4. L'ambiguïté du concept de nation

Le concept de nation et le projet politique de la modernité qu'il sous-tend soulèvent trois problèmes de taille : le critère de la citoyenneté, soit l'ensemble des éléments qui déterminent l'appartenance à la nation ; le savoir de la nation, soit ce qui permet aux citoyens de se prononcer en connaissance de cause ; la représentation de la nation et l'expression de sa volonté, soit les distorsions qu'entraîne inévitablement toute délégation de pouvoir par la collectivité aux mains de quelques individus.

L'appartenance à la nation peut poser problème d'au moins deux points de vue : interne et externe (pour autant qu'on puisse les séparer). À première vue, au plan interne, la question de la citoyenneté est réglée par le suffrage universel : tout le monde est citoyen. En fait, nous savons bien qu'il n'en est rien. Toute société a ses métèques. La participation à la nation est conditionnelle à l'origine, à la naissance (la sienne ou celle des ancêtres) ou, faute de nationalité héréditaire, à ce qu'on appelle parfois sans ironie la naturalisation, processus par lequel l'étranger peut, moyennant un certain nombre de conditions, obtenir la citoyenneté. Ces conditions sont souvent draconiennes, discriminatoires, et laissent une part importante de la population active dans un statut inférieur et précaire (par exemple les travailleurs étrangers en Europe de l'Ouest). Dans un pays d'immigration comme le Canada où l'immigrant reçu qui la demande obtient presque automatiquement sa citoyenneté après trois ans, la sélection s'opère en amont : l'exclusion visible, légale ne porte que sur les réfugiés et les illégaux.

Mais la question de savoir qui fait ou non partie de la nation se pose aussi du point de vue géopolitique, externe donc, et indépendamment des mouvements migratoires : quelles frontières enferment quelles collectivités ? Nous rejoignons ici le problème de l'identité que nous avons abordé au chapitre précédent. Inutile, donc, d'y revenir, sauf pour souligner un déplacement de sens historique qui explique une bonne part de l'ambiguïté relative à la question nationale et au concept d'État-nation. De la conception *juridique* (l'ensemble des citoyens) qui était celle de la Révolution française à la fin du XVIIIe siècle, l'Europe est passée au XIXe à une conception *ethnique* de la nation, inspirée en partie par le messianisme révolutionnaire dont se réclamait l'impérialisme français. La France de 1789 n'éprouvait pas le besoin de se définir ethniquement ou historiquement : l'idée de nation répondait, on l'a vu, au besoin constitutionnel de légitimer le nouvel ordre ; la nation était déjà là, il suffisait de l'investir ouvertement de sa souveraineté latente. On en faisait ainsi le lieu et la condition juridique du projet *universel* de la modernité en oubliant tout ce que ce lieu devait à l'histoire, tout ce qu'il avait de *particulier*. Paradoxalement, avec la diffusion de l'universalisme républicain fondé sur la citoyenneté se sont aussi répandus, et avec plus d'efficacité, des particularismes patriotiques, ou nationalismes, de toutes dimensions fondés sur l'ethnicité et l'histoire (certains intégrateurs comme en Allemagne et en Italie, d'autres désintégrateurs comme dans l'Empire austro-hongrois). La France elle-même n'en a pas été épargnée : le nationalisme français a simplement gardé de ses origines révolutionnaires une prétention particulière à l'universel ! Ainsi l'émergence de la question nationale un peu partout dans l'Europe du XIXe siècle apparaît-elle en quelque sorte comme un contresens du projet politique de la modernité.

La seconde ambiguïté de ce projet réside dans la place qu'y tient la raison. Nous l'avons brièvement évoquée ci-dessus en disant que la nation est au politique ce que la raison est à la science. Mais il y a là davantage qu'une analogie. La nation ne peut véritablement agir pour son bien qu'à condition de savoir où il se trouve et d'avoir une vue éclairée d'elle-même et du monde. Tout le pari de la modernité politique tient dans ce savoir, dans la possibilité pour le peuple d'y voir clair et de décider en connaissance de cause. C'est de ce que les nouvelles sciences donnent à la société la capacité de se comprendre et de se diriger elle-même que l'État moderne peut, avec l'appui éclairé de la majorité, réaliser ses idéaux de bien-être, de liberté et de justice pour tous. Bien plus, cette aptitude de la Nation à éclairer sa route est finalement ce qui donne au gouvernement qui en émane une légitimité de *fait* supérieure aux caprices du prince. Nous savons aujourd'hui mieux que jamais la fragilité de ces prémisses : la sagesse dont le peuple sait faire preuve à l'occasion, au grand dam des politiciens, ne doit pas grand-chose à la science, et moins encore à l'avalanche d'informations que déversent les gouvernements et les médias. Bien souvent, les connaissances de tous ordres sur lesquelles les dirigeants s'appuient pour gouverner (des sondages aux avis d'experts) ne sont pas rendues publiques ou parviennent à l'électorat sous une forme méconnaissable ; et ceux qui ont le bon sens de les « divulguer » risquent, comme s'il s'agissait d'un acte criminel, de se faire poursuivre ou de perdre leur emploi. Jusqu'aujourd'hui, le savoir, rêve des Lumières, reste, comme le pouvoir, l'apanage d'une élite. Nous aurons l'occasion, au chapitre 4, de revenir sur les conséquences de cette position élitaire de la science. Pour le moment il suffit de constater que le peuple est limité dans sa puissance de jugement et d'intervention en ce qu'il ne « sait » que par l'intermédiaire de ceux qui l'informent et le gouvernent.

Ce qui nous amène au troisième grand problème du projet politique de la modernité, celui de la représentation. Rousseau le résume avec force : « La souveraineté ne peut être représentée, par la même raison qu'elle ne peut être aliénée ; elle consiste essentiellement dans la volonté générale, et la volonté ne se représente point : elle est la même, ou elle est autre ; il n'y a point de milieu. Les députés du peuple ne sont donc ni ne peuvent être ses représentants, ils ne sont que ses commissaires ; ils ne peuvent rien conclure définitivement. » Et plus loin : « [...] à l'instant qu'un Peuple se donne des Représentants, il n'est plus libre ; il n'est plus » (*Du Contrat social*, III, XV). Nous mesurons sans peine à cette seule exigence tout ce qui, dans nos régimes dits parlementaires, sépare la réalité du pouvoir d'une volonté populaire éclairée, capable de décider et de veiller au respect de ses décisions.

Mais ce n'est pas tout. Derrière ces difficultés institutionnelles, se présente un problème beaucoup plus radical que Marx analyse sans complaisance. En réalité, si l'on creuse les apparences du pouvoir démocratique, force est de constater que le peuple n'agit que comme fiction. Loin d'être l'émanation impartiale de la nation, l'État est à la fois l'enjeu d'une lutte sociale et l'expression du rapport de force qui en résulte. Dans ce combat, les concepts de nation et de souveraineté nationale deviennent l'instrument de légitimation des classes dominantes qui sont parvenues à s'emparer de l'appareil d'État. La coalition au pouvoir peut être plus ou moins large, elle ne représente jamais le peuple, encore moins sa présumée volonté, dont on va jusqu'à se prévaloir sous le nom significatif de « majorité silencieuse ». L'intérêt général sert le plus souvent de couverture idéologique aux intérêts particuliers des groupes qui se disputent et se partagent le pouvoir. Et dans les États qui se réclament du libéralisme, ces groupes tirent généralement leur puissance de ce qu'ils dominent les principaux leviers de l'économie ; parmi lesquels, soit dit en passant, il ne faut pas négliger celui que constitue à l'occasion le contrôle de puissants syndicats ou centrales syndicales.

En fin de compte, si l'on comprend l'avènement de l'État moderne dans la perspective historique de l'État territorial moyen, le véritable héritier du domaine royal n'est pas tant la nation, qui n'est somme toute que la référence abstraite par laquelle se légitime le pouvoir, que la société civile qui a grandi en lui et autour de lui. C'est vers cette dernière qu'il faut maintenant revenir pour traiter la question de la modernisation.

5. La dynamique de la modernisation

La modernité était le rêve des Lumières. Mais de ce que le rêve n'a pas eu lieu nous ne pouvons déduire qu'il n'en est rien sorti. Simplement, ce qui est effectivement advenu du projet de la modernité ne correspond pas à ce qui en était attendu : c'est la modernisation. Dans sa réalité, l'État moderne, projet de la première, est le produit de la seconde. Entre le projet et le produit, il y a bien sûr un lien, que traduit l'étymologie commune aux deux termes (du bas latin *modernus*, récent). Mais il y a également risques de malentendus à prendre l'un pour l'autre.

5.1. La société civile industrielle

Depuis la fin du XVIIIe siècle, comme chacun sait, d'immenses transformations se sont produites dans les sociétés occidentales. Il est difficile d'évaluer ce que ces bouleversements doivent aux idées des Lumières, pour la bonne raison qu'une dynamique imprévue a fait « dévier » la course du progrès : la dynamique d'une société civile devenue industrielle. Cette déviation ne tient pas simplement à ce que la bourgeoisie et les milieux d'affaires, avec ou sans l'aide d'autres classes sociales, ont confisqué l'État de droit, confiscation qui, après tout, était dans l'ordre du prévisible (on n'a jamais vu une classe dominante renoncer de son plein gré à exercer le pouvoir). Elle s'observe aussi et surtout dans les changements radicaux qui interviennent à partir de la même époque dans le mode de production des marchandises et qui débouchent sur ce qu'on appelle la grande industrie et la société industrielle.

À première vue, cette nouvelle capacité de production, la multiplication des forces que permet l'usage de la machine, la rationalisation qui l'accompagne, la division du travail, tout cela ne pouvait que contribuer à long terme, et malgré les souffrances que coûtait à la classe ouvrière cette nouvelle accumulation de richesse, à hâter l'avènement d'une société plus juste et moins inégale dans laquelle tout un chacun aurait de quoi subvenir sans peine à ses besoins matériels et pourrait dès lors consacrer plus de temps à s'instruire et à goûter les plaisirs de la vie tout en jouant un rôle social plus créateur. Pareille conviction était renforcée par le discours économique des Lumières, partie intégrante de la pensée de la modernité, selon laquelle la rencontre des libertés économiques individuelles régie par la loi de l'offre et de la demande finirait d'elle-même par contribuer à l'accroissement du bien commun. Cette prévision n'était pas entièrement fausse, au sens où le capitalisme industriel a bel et bien augmenté la richesse globale de la collectivité. Mais cette augmentation s'est produite en creusant, sous l'égalité formelle de l'État de droit, de nouveaux et profonds écarts de revenus et de pouvoirs. Au reste, la pensée libérale ne se préoccupait ni d'analyser le mode de production ni de tenir compte de l'intervention cruciale de l'État et de sa législation dans l'organisation du « libre jeu » du marché. Indépendamment des conditions dans lesquelles il se déroulait, ce jeu devait suffire à régler la production et les échanges, pourvu, justement, qu'on le laissât « libre ». Le marché joue dans le discours économique de la modernité le même rôle imaginaire que la nation au plan politique et la raison au plan scientifique : c'est le *deus ex machina* sous la main invisible duquel se résolvent d'avance toutes les contradictions.

En analysant l'économie capitaliste à partir des conditions de production de la marchandise, Marx éclaire l'impitoyable rapport de force qui sous-tend et que transforme sans cesse l'accumulation du capital, mouvement circulaire dont la répétition élargie concentre entre les mains d'une classe restreinte le pouvoir de produire, de vendre et d'acheter massivement. Si importante que soit cette nouvelle puissance d'accumulation matérielle pour le devenir de la société, les détenteurs du capital, les groupes privés qui décident des investissements n'ont pas le bien commun pour objectif, mais, comme il se doit, leur bien à eux : la croissance de leur chiffre d'affaires et l'augmentation de leur marge de profit. À telle enseigne que, comme naguère le capital marchand, ces groupes n'assignent a priori aucune limite territoriale à leur ambition et sont prêts, le cas échéant, à faire fructifier leurs capitaux partout où les conditions de sécurité et les possibilités de gains leur offrent une combinaison suffisamment alléchante. Bref, comme l'a bien vu Marx, la grande industrie ne fait qu'amplifier et accélérer le mouvement général qui dès ses débuts pousse la société civile à déborder les frontières de son pays natal. Ce qui était déjà vrai à une moindre échelle aux XVe et XVIe siècles ne le devient que davantage aux XIXe et XXe, au point qu'il n'est pas exagéré de parler aujourd'hui, malgré les clivages qui la traversent inévitablement, de société civile mondiale. Cette société ou économie mondiale est animée d'une dynamique propre qui se joue des frontières étatiques et qui, à l'échelle planétaire plus qu'à toute autre, se moque du projet de la modernité.

Toutes les sociétés occidentales se sont grosso modo développées, avec les variantes qui leur sont propres, selon la même logique fondamentale de l'accumulation et de l'expansion du capital. Seuls les éléments du projet de la modernité qui offraient le moins d'incompatibilité avec cette logique se sont concrétisés, et de telle manière qu'ils s'accordent le plus possible avec elle. Ainsi, l'État de droit, avec les garanties qui l'accompagnent (les droits de la personne), en établissant entre l'individu et les divers échelons de l'appareil administratif (du pouvoir central au pouvoir municipal) un faisceau direct d'obligations et d'attentes réciproques, a entraîné la suppression des contraintes liées, sous l'Ancien Régime, à l'origine familiale et à l'appartenance communautaire. Présentée non sans raison comme une condition nécessaire à l'exercice des droits civiques et à l'avènement politique de la nation, cette autonomie individuelle dont l'État se faisait le garant s'est néanmoins imposée d'abord et avant tout comme une exigence pratique indispensable à l'élargissement du marché du travail et à la consommation de masse. C'est un fait, aujourd'hui, que nous sommes tous plus consommateurs, contribuables et salariés que citoyens.

Ce très sommaire rappel des conditions matérielles, économiques et sociales dans lesquelles se sont développées les sociétés occidentales sous la poussée de la grande industrie ne vise pas à faire le procès du capitalisme, encore moins à évacuer ce qui en elles ressortit malgré tout au projet de la modernité, mais à réfléchir sur les fondements et le sens de cette dynamique complexe que nous appelons modernisation.

5.2. La modernisation : un phénomène d'une complexité croissante

La modernisation ne constitue évidemment pas un processus purement matériel. Si l'économie et la technique y jouent un rôle crucial, ce rôle n'est jamais exclusif et n'autorise aucune conclusion déterministe sur l'évolution de la société. Ce serait ignorer que la formidable croissance du capitalisme au cours des deux derniers siècles a entraîné sur tous les plans d'incessantes luttes sociales de plus ou moins grande envergure pour le partage et le repartage des revenus et des pouvoirs ; que le capital lui-même ne pouvait progresser, comme l'avait bien compris Ford, qu'en accroissant le pouvoir d'achat réel des ouvriers ; qu'à cette croissance du capital ne correspondent pas seulement le renforcement de la bourgeoisie et l'extension du prolétariat mais aussi la montée de toute une série de classes moyennes, devenues indispensables au système ; que les mœurs, les mentalités, les sensibilités en ont été bouleversées, etc.

Que la modernisation s'écarte du projet des Lumières ne signifie donc pas que la société dite « de masse » se laisse cerner dans tous ses aspects à travers l'analyse du capital et du mode de production industriel. L'antagonisme bourgeoisie/prolétariat, qui traduit bien ce que les rapports sociaux du monde industriel ont de brutal, n'a jamais gouverné l'ensemble de la société et représente à maints égards une polarisation imaginaire ; ce qui ne l'a pas empêché de jouer un grand rôle socio-politique. Nous voyons bien aujourd'hui, à une époque pourtant où les inégalités sociales se creusent à nouveau, que cet imaginaire ne correspond plus à la diversification socio-économique qui est la nôtre. De plus, en raison même de sa très grande concentration et de la complexité de ses ramifications planétaires, le grand capital (les transnationales) tend à passer, dans son contrôle effectif, aux mains des technocrates ; ceux-ci constituent bien à leur tour une sorte de nouvelle bourgeoisie, mais leur part de propriété est faible par rapport aux capitaux qu'ils gèrent. C'est le phénomène de la *technostructure* que John Kenneth Galbraith a brillamment analysé dans *The New Industrial State*, où le savoir scientifique et technique joue un rôle de plus en plus important, tant dans l'organisation privée que dans l'organisation publique.

Dès ses débuts, la modernisation est donc une combinaison de changements sociaux, économiques, techniques, organisationnels qui permettent une concentration énorme des moyens de production et qui entraînent une spécialisation croissante des tâches non seulement à l'usine mais dans toutes les sphères de la société. La modernisation ne fait pas que multiplier le capital, elle produit aussi une vaste accumulation de savoir social qui, avec l'instruction publique obligatoire, paraît d'abord favorable à l'exercice des droits et responsabilités civiques de tous. Mais ce savoir, en se multipliant, s'instrumentalise, se technicise, se spécialise à un point tel qu'il recrée à un niveau de sophistication beaucoup plus élevé les barrières scientifiques qu'on avait pu croire un moment baissées. Jamais il n'a été possible à tant de gens de tant apprendre (sur la nature, le monde, la société, sur eux-mêmes), et jamais l'exercice du jugement n'a été aussi difficile. Le sens commun semble condamné à s'en remettre chaque jour davantage à l'avis d'experts de plus en plus spécialisés, et l'on en arrive à douter qu'il existe encore un espace public, politique, où il puisse valablement se faire entendre. Nous aurons l'occasion de revenir au chapitre 4 sur la question fondamentale du rapport entre politique et savoir. Pour le moment, il s'agit de comprendre la spirale dans laquelle risque de nous enfermer l'évolution accélérée de la techno-science, une science qui se trouve couplée de façon de plus en plus étroite avec la technique qu'elle contribue à produire.

Comme chacun le sait, la techno-science nous donne quantité de maîtrises partielles dont nous éprouvons énormément de mal à contrôler les interactions ; nous devenons les artisans d'une globalité qui nous échappe. Elle nous échappe d'autant plus que les outils de plus en plus puissants que cette techno-science met virtuellement à notre disposition n'appartiennent en réalité que très partiellement à la collectivité, pour la raison que la plupart de ces outils ne sont pas développés pour elle, mais pour et par des groupes privés qui placent leurs intérêts particuliers au-dessus du bien public. Le problème n'est pas la techno-science en soi. C'est la conception du savoir qui l'accompagne et l'usage qui en est fait (voir aussi là-dessus le chapitre 4). Le développement de cette techno-science a pour moteur principal une course mondiale à l'accumulation et à la puissance qui n'a d'autre fin qu'elle-même. Course dont les gouvernements ont beaucoup de difficulté à infléchir le cours, étant donné qu'ils sont eux-mêmes en concurrence, avec leurs économies et leurs armées respectives, sur ce même champ planétaire et que les plus forts d'entre eux contribuent autant que le secteur privé, et souvent main dans la main avec lui, à pousser, « au nom de l'intérêt national », les feux de cette compétition sans fin.

5.3. La situation de l'État moderne

Notre propos n'est pas de nourrir un pessimisme facile sur la technique et sur le devenir de l'humanité. Ce devenir, en tout état de cause, personne ne sait de quoi il sera fait : la concurrence a ceci de bon que malgré la puissance des regroupements d'intérêts et des hiérarchies en place, aucun groupe (privé ou public) n'est de façon permanente à l'abri de l'inventivité humaine. Tant qu'il y aura de l'espace pour de l'imprévu, il y aura de l'espoir (sans vouloir charger ce mot d'un poids excessif). Notre réflexion sur la modernisation et ses avatars, rappelons-le, vise avant tout à situer l'État moderne dans la société mondiale, c'est-à-dire à évaluer dans la mesure du possible son rôle dans un monde dont personne n'a choisi ni ne peut prévoir le cours. Chaque État a évidemment dans le monde une situation et des possibilités particulières dont il nous faudrait tenir compte individuellement, si nous avions l'ambition d'évaluer ce qu'on appelle volontiers leur « marge de manœuvre » par rapport aux contraintes de l'économie et de la techno-science mondiales. Mais ce n'est pas le cas. L'idée de marge de manœuvre, de toute façon, est malheureuse : elle laisse entendre que chaque État aurait des possibilités objectives limitées dans un système concurrentiel mondial sur lequel il n'aurait pas de prise, et que son rôle consisterait à les exploiter du mieux qu'il peut.

Cette conception du rôle de l'État dans le monde, aujourd'hui, est l'ultime avatar idéologique de la modernisation. On la présente souvent comme le fruit d'un regard lucide sur une « réalité incontournable de notre temps », sans voir que cette lucidité contient un désaveu politique lourd de sens, la renonciation au projet de la modernité, avec tout ce que cela implique : renoncement de la pensée, perte de la volonté, abdication du désir. Cette résignation n'est pas quelque chose qu'on peut simplement dénoncer : elle nous pénètre toutes et tous à divers degrés, sans que nous nous en rendions toujours bien compte, et forme un terreau fertile à ce que Sloterdijk (1987) appelle le « cynisme diffus » de nos sociétés. Sans doute, nous venons de voir nous-même comment l'idéologie politique des Lumières et tous les espoirs qui en sont dérivés (parmi lesquels le marxisme n'était pas le moindre) ont été lentement broyés dans la dynamique mondiale de la modernisation. La chute des régimes communistes en Europe de l'Est et la dérive technocratique des partis socialistes au pouvoir à l'Ouest en sont les plus récents témoignages.

Qu'il se manifeste par des échecs retentissants ou par des renoncements à la petite semaine, le non-avènement de la modernité doit faire réfléchir. Sa portée même dépend de la réflexion qu'il suscite. La faillite des idées progressistes peut être subie comme une fatalité de l'histoire ou brandie en triomphe du libéralisme, le résultat est le même : tout continuera, de plus belle, comme avant – avec, le cas échéant, les correctifs écologiques nécessaires à cet *ainsi-de-suite* (selon le terme de Heidegger). Dans le langage ouvertement cynique des puissants, cela s'appelle le « nouvel ordre mondial » ; dans le vocabulaire idéologique des intellectuels qui s'en réjouissent et l'appuient, c'est « la fin de l'histoire », manière d'affirmer que la démocratie a définitivement triomphé. Indépendamment même de tout triomphalisme, parler aujourd'hui de la démocratie comme d'un ordre qui serait en train d'être achevé, c'est légitimer les oligarchies électives qui naviguent avec pour tout horizon la préservation de cet achèvement. À travers cette représentation satisfaite d'elle-même, c'est l'idée même de démocratie qui risque d'être achevée et enterrée.

Voilà ce qui ressort du regard que nous venons de poser sur la modernité et la modernisation : la démocratie, la liberté, la solidarité n'ont pas commencé. Or, *malgré les effets de la modernisation,* l'idée de leur nécessité reste vivante. Tous les idéaux des Lumières ne sont pas éteints, jusque dans la bouche de ceux qui les invoquent par automatisme, par démagogie ou par impudence, hommage que le cynisme rend au désir de dignité. Le trait le plus remarquable dans le projet de la modernité n'est pas qu'il ait échoué mais qu'il ne soit pas mort, qu'il n'ait pas totalement succombé à la déraison. La déraison, en l'occurrence, ce n'est pas tant d'avoir « dévié » de la modernité vers la modernisation que d'avoir pris l'une pour l'autre. En amont de cette confusion, la déraison originelle, c'était de croire que la Raison, avec son grand R de majesté, pût tout faire et notamment combattre efficacement à elle seule les multiples raisons particulières – ou intérêts – auxquelles la division du travail et la techno-science donnaient des instruments d'une puissance inédite. Croire que cette raison aujourd'hui nous gouverne, ce serait croire, en quelque sorte, que la pensée a atteint son but, alors que nous n'en sommes peut-être qu'à ses balbutiements. À vrai dire, s'il est une chose dont l'esprit peut se convaincre aisément de nos jours, devant l'ampleur de ce qu'il a manqué de faire, c'est qu'il tâtonne encore. Et si cela est vrai, on ne peut rien conclure, ni victoire ni défaite, de l'histoire des deux – ou cinq ou quarante-cinq ! – derniers siècles, sauf à forclore notre devenir. Cette histoire enseigne la fragilité de la raison. Mais de ce que la raison se sait aujourd'hui moins certaine que naguère, de ce qu'elle connaît mieux ses limites, elle peut tirer une nouvelle force.

L'État moderne n'a pas donné ce qu'il promettait et, sous sa forme actuelle, on ne peut pas attendre beaucoup mieux de lui. Mais cette forme constitue bon an mal an pour nos sociétés le cadre institutionnel dans lequel ou à partir duquel peuvent s'énoncer des priorités, des projets, des désirs susceptibles de rassembler les forces. Politiquement, il n'y a rien, il n'y aura rien d'équivalent, et pour longtemps, au plan mondial. Le souci d'humanité s'exprime d'abord au sein des collectivités locales, quelle que soit leur taille, et cela demeure vrai en dépit de la mondialisation des échanges et de la technique moderne. Bien que niveleuse aujourd'hui, cette technique *peut* aussi devenir source de diversification ; son universalité même, qui est pour le moment le seul universel concret de ce monde, la rend adaptable, polyvalente, imprévisible. Son ubiquité ne désarme pas l'initiative, pas plus que le marché mondial ne *réduit* l'État à brader la société. Il faut une croyance ou une soumission aveugles à *un* système, fût-il libéral de nom et d'allure, pour accepter comme une donnée de la nature ou de l'histoire le rétrécissement de l'espace mental où se construit le politique. Ce rétrécissement ne résulte pas de nécessités immuables mais d'une vision du monde qui les présentent comme telles. Les tâches politiques ne sont pas intrinsèquement plus difficiles de nos jours qu'au XVIe siècle, et ce n'est pas d'aujourd'hui que l'État est aux prises avec la réalité d'un monde économique et d'un mode de production qui dépassent ses frontières. Mais devant les désillusions de la modernisation, qui sont à la mesure des espoirs de la modernité, le risque est grand que le découragement s'installe et laisse toute la place aux intérêts des puissants. Or, sauf l'avidité matérielle, que le cynisme des oligarques manipule aussi bien que la résignation des masses, rien ne semble pour l'heure vouloir venir combler le vide creusé par ces désillusions.

La résignation dont l'économie mondiale fournit le prétexte et sous l'ombre de laquelle nous renonçons peu à peu à la citoyenneté menace plus lourdement que la modernisation elle-même le projet politique de la modernité. L'utopie directrice que cette dernière conserve néanmoins constitue encore pour nos sociétés la meilleure raison de l'être-ensemble *parce que nous la savons impossible*. Impossibilité salutaire, dont la reconnaissance nous évite à tout jamais d'être ensevelis sous la certitude et qui maintient ouverte pour nous la respiration du monde. Car l'utopie elle-même n'est rien, ne peut rien inspirer, si nous attendons d'elle un ordre définitif et des « solutions », si la principale préoccupation collective et individuelle, dans nos sociétés, se résume à nous assurer qu'il sera toujours possible de durer, si nous n'avons que des soucis et plus de désirs, si nous nous obstinons à nier l'étrangeté de notre présence, s'il est plus important de retarder la mort que d'avoir vécu.

Toute l'entreprise de l'État moderne dans ce qu'elle vise de plus haut (liberté, égalité, fraternité) peut être comprise comme une tentative du politique de se suffire à lui-même. Cette tentative n'a pas réussi. Nous savons aujourd'hui qu'elle ne peut réussir. Le politique ne suffit pas.

CHAPITRE 3

LE POLITIQUE ET LE RELIGIEUX

Dans leurs querelles comme dans leurs connivences, la religion et la politique n'ont jamais été très éloignées l'une de l'autre. Nous avons toutefois tendance à considérer que, dans nos sociétés occidentales, leur relation a atteint un degré de maturité tel que les deux instances (politique et religieuse) n'empiètent plus, ou plus qu'accidentellement, sur leurs domaines respectifs. L'État est laïc, et l'Église intervient dans le débat social à titre de groupe de pression comme un autre, ridicule ou impertinente pour les uns, parée du halo de son ancien prestige pour les autres. Par contraste, la résurgence du militantisme religieux à des fins politiques dans certaines sociétés du tiers-monde ne fait que confirmer à nos yeux l'idée reçue selon laquelle la séparation entre l'Église et l'État constitue un indice crucial de la « modernité » (confondue ici avec la modernisation). De façon générale, le domaine délicat que nous traitons dans ce chapitre est jalonné de clichés. Les plus usés présentent la religion comme l'opium du peuple, comme un instrument rétrograde du pouvoir, comme une hiérarchie autoritaire et conservatrice, attentatoire à la liberté de conscience et nuisible à l'exercice éclairé de la citoyenneté, bref comme une chose du passé.

Ces idées reçues ne sont pas toutes sans fondement, mais elles masquent une bonne partie de la question et confondent le sentiment et le fondement religieux avec le dogme et l'institution. Un examen critique s'impose. Il nous conduira à l'ébauche d'une définition du *religieux* distincte de celle de la *religion*. Cette distinction nous permettra de poser la relation du religieux au politique de manière moins simpliste et de montrer en quoi ce rapport intéresse toujours vivement nos sociétés, bien que de façon souvent détournée et sous-jacente.

1. Les idées reçues sur la religion

Les idées reçues sur la religion s'inscrivent dans une vision occidentalo-centriste de l'histoire où l'humanité accomplit une succession d'étapes qui sont autant de moments de progrès vers son émancipation morale et intellectuelle de l'obscurantisme religieux.

Au cours de ce long chemin, la religion elle-même subit d'importantes mutations qui la rapprochent inexorablement, malgré d'inévitables rechutes passagères, du règne de la raison. Dans cette optique, la forme la plus « déraisonnable » de la croyance religieuse se manifeste évidemment dans les sociétés dites « primitives » où cette croyance s'exprime à travers toutes sortes de « superstitions » plus dérisoires les unes que les autres. L'anthropologie a beaucoup fait pour corriger cette vision caricaturale des choses, et ce qu'on désigne volontiers sous le terme d'animisme a aujourd'hui meilleure presse. L'explication scientifique de l'ethnologue n'est pas seule à rendre ces pratiques plus admissibles ; l'engouement esthétique de notre civilisation pour « l'art primitif » y est également pour beaucoup. C'est finalement notre regard, notre appréciation, voire notre mauvaise conscience de « civilisé » qui confèrent à ces manifestations d'un autre âge, fussent-elles encore visibles dans certaines réserves aborigènes, leur respectabilité, leur intérêt – anthropologique, justement. Cela dit, rares sont ceux qui parmi nous acceptent d'y voir une représentation du monde aussi valable que la nôtre. À nos yeux, il s'agit toujours d'une « première étape », si respectable soit-elle dans le contexte ethnico-historique qui est le sien.

À preuve, nous ne prenons guère plus au sérieux l'univers polythéiste des anciens Grecs et Romains, que nous pouvons étudier avec d'autant plus d'intérêt que nous avons affaire ici à des civilisations évoluées que nous admirons pour leur rationalité et auxquelles, à maints égards, nous nous référons. Aussi les divinités olympiennes constituent-elles à nos yeux des traces passionnantes d'un archaïsme religieux que la philosophie grecque désigne par sa seule présence comme un phénomène que la culture florissante de l'époque aurait déjà dépassé. De la même manière, nous apprécions l'architecture et la sculpture grecques pour elles-mêmes, comme nous le faisons des nôtres, en oubliant la plupart du temps les cultes auxquels elles s'articulent. Pour l'Égypte pharaonique antérieure à l'expansion hellénique, en revanche, le lien entre l'art et la religion nous semble indissoluble, sans doute parce que cet art nous apparaît plus mystérieux, lié qu'il est de façon si évidente à la mort et au rite funéraire ; mais aussi et plus encore, peut-être, du fait que nous percevons la société pharaonique comme massivement religieuse et, par là, très éloignée de notre idée préconçue, « grecque », de la philosophie. Puisque, comme chacun sait, dans notre imaginaire collectif, la philosophie « commence » avec la Grèce.

La philosophie grecque constitue en effet dans notre vision ordinaire de la marche de l'esprit une césure fondatrice en contradiction apparente avec « l'infantilisme » de la mythologie. Mais cette contradiction ne nous choque pas trop, car elle reste inhérente à l'inévitable chevauchement qui marque le passage de l'ordre religieux à l'ordre philosophique. L'étape suivante, en revanche, devrait s'inscrire comme une rupture nettement régressive au regard de l'avancée décisive de la philosophie. Problème : cette rupture, le christianisme, ouvrirait une « régression » d'au moins quinze siècles dans l'histoire de la pensée ! Régression inacceptable pour notre conception hégélienne de l'histoire, dans la perspective de laquelle tout ce qui nous précède et avec quoi nous nous reconnaissons une filiation, par définition, « nous prépare », nous et notre civilisation moderne.

Cette contradiction ne peut être surmontée (toujours dans cette vision hégélienne de l'histoire) qu'en faisant du christianisme un progrès en son genre, grâce auquel l'apport de la philosophie grecque ne sera pas perdu. Aussi le christianisme est-il souvent présenté comme une heureuse synthèse de l'Ancien Testament et de la pensée platonicienne. Le monothéisme (juif puis chrétien) apparaît alors tout naturellement comme une étape supérieure au polythéisme farfelu dont les Évangiles aident la pensée antique à se défaire. La « régression » dans le christianisme se présente en fin de compte comme une consolidation ; le message chrétien, malgré l'obscurantisme de l'Église, porte en lui la rédemption de la raison et pave la route vers la modernité.

Sur cette route, la Réforme intervient à son heure, l'heure de la Renaissance et du renouement avec l'Antiquité, pour faire accomplir à la pensée chrétienne un pas de plus vers la liberté de conscience. Le retour aux textes bibliques engage leurs exégètes sur la voie de la désacralisation : l'individu est seul devant Dieu, responsable de ses actes, maître de l'interprétation qu'il fait des Écritures, libéré des contraintes du dogme et de la hiérarchie religieuse. La Réforme est ainsi perçue comme un mouvement qui contribue à privatiser le sentiment religieux et qui prépare – un mot que l'histoire occidentale décidément aime bien – la séparation de l'Église et de l'État. Mieux que cela, le protestantisme, plus particulièrement le calvinisme, selon la fameuse thèse que Max Weber soutient dans *L'Éthique protestante et l'esprit du capitalisme*, contribue à canaliser le sentiment religieux, devenu morale, au service de l'accumulation et de la rationalisation capitalistes.

Par suite de la désincarnation que subit l'idée de Dieu au XVIIe siècle chez des penseurs comme Descartes et Spinoza, il ne reste plus à la philosophie des Lumières qu'à parachever la désacralisation du social en prônant ouvertement la liberté de conscience et en combattant l'intolérance religieuse (« Écrasons l'infâme », disait Voltaire). La Révolution française met ce nouveau catéchisme en pratique et conduit à la laïcisation de l'État. Laïcisation qui n'en était alors qu'au début de ses peines, puisque l'enseignement public laïc en France ne sera institué que vers la fin du XIXe siècle et que l'opposition entre catholiques et républicains dominera les débats politiques de la Troisième République au moins jusqu'à la Première Guerre mondiale.

Malgré ce que sa brièveté lui donne d'exagérément caricatural, ce raccourci sur l'histoire de la religion correspond à un schéma assez solidement ancré dans les consciences, y compris chez celles que cette évolution désole. Ce schéma n'est d'ailleurs pas entièrement faux dans son simplisme si l'on s'en tient strictement aux transformations institutionnelles intervenues au cours des deux derniers siècles en Occident et à la place qu'y occupe le dogme officiel de l'Église. La plupart de nos sociétés sont effectivement devenues laïques au sens où les institutions politiques ne fondent plus leur légitimité sur la religion, au sens également où l'État de droit requiert en quelque sorte que la croyance et l'appartenance religieuses relèvent de la sphère privée ; relégation qui n'interdit par principe à personne l'expression publique de sa foi, considérée au contraire comme une des libertés individuelles et collectives garanties par l'État. Cette apparente étanchéité entre la politique et la religion nous paraît à ce point normale aujourd'hui que nous avons tendance à considérer leur confusion comme un signe de retard dans les sociétés où elle se perpétue.

Ce que cette perspective historique contient de pertinent se limite toutefois à une couche assez superficielle de la réalité : la religion, au sens étroit du dogme et des institutions qui le soutiennent, dans ses rapports formels avec l'État. Mais l'État ne couvre pas tout le champ du politique, et la religion n'est pas de son côté le tout du religieux, quand bien même l'Église voudrait accréditer le contraire – volonté de monopole qui constitue évidemment le véritable enjeu des luttes contre l'hérésie. Les relations entre l'État et l'Église ne représentent donc qu'une mince tranche du rapport, beaucoup plus vaste, riche et complexe, du politique avec le religieux ou le sacré (deux termes que nous utiliserons ici l'un pour l'autre).

2. Vers une définition politique du sacré

Que la religion soit en déclin ne signifie nullement que le religieux soit absent ou politiquement inopérant. Notre hypothèse est que le sacré et le politique sont de tout temps et sous toutes les latitudes en interaction constante quelles qu'en soient la forme, la visibilité, les fluctuations. Au point que le religieux peut être considéré comme une instance du politique. Cette considération, pour être comprise, nécessite une définition du religieux en tant que dimension transcendante du rapport de l'être humain avec l'univers et avec ses semblables.

2.1. Une quête de sens

Un peu d'étymologie nous éclairera. L'étymologie n'est pas là pour faire savant mais pour dégager autant que possible le sens profond des mots, pour faire surgir de leur épaisseur archéologique une signification originelle susceptible de guider notre réflexion. « Religieux » et « religion » viennent tous deux du latin *religio* qui signifie notamment « attention scrupuleuse, conscience, respect, vénération ». Ce mot, à son tour, a deux origines possibles : la première et la plus souvent mentionnée, *religare*, « lier, attacher », et la seconde, moins fréquemment citée, *relegere*, « recueillir, rassembler de nouveau, relire ». Par bonheur, ces deux verbes ne sont pas trop éloignés l'un de l'autre et peuvent se rejoindre dans une signification concordante. Comme pour une gerbe de blé, recueillir et lier participent de la même finalité : faire que les épis tiennent ensemble. Quant aux mots « sacré » et « saint », ils dérivent du latin *sacer* (qu'on retrouve en français dans « sacerdoce ») et *sanctus* (audible dans « sanctifier ») qui ont eux-mêmes une racine et une signification communes : « vénéré, auguste, consacré à une divinité ». Rien de très révélateur, en somme. En revanche, le mot grec pour « sacré », *hiéros*, ajoute une autre dimension à ce que nous connaissons déjà. *Hiéros*, qu'on retrouve dans « hiérarchie », signifie dans son sens premier « admirable, fort, puissant » et par suite « consacré aux dieux ». Sans prétendre ici à une démarche étymologique rigoureuse (du moment que les mots latins et grecs ne semblent pas partager une même racine), le rapprochement entre *religio* et *hiéros* suggère que le religieux serait *la force qui relie, qui rassemble, qui fait sens.*

Ce parcours étymologique nous permet de risquer une définition plus précise du sacré (ou religieux) comme *la structure symbolique de la cohérence cosmogonique et de la cohésion sociale.* Il est à la fois ce qui relie l'humain à l'univers et ce qui unit les individus d'un même groupe entre eux. À ces deux niveaux, le sacré est quête du sens commun. En tant que tel, il ne peut être exclusivement confiné à la vie privée de l'individu ; s'il l'est, il ne relie plus, il est non-sens. En même temps le religieux est par excellence l'affaire de chacune et chacun, l'affaire de la conscience. Là gît la difficulté, que le discours de la modernisation (inspiré en cela, il faut le dire, du discours de la modernité) croit pouvoir régler en séparant le public du privé, alors même que la seule présence de la collectivité infirme la possibilité de cette division : toute personne est à la fois privée et sociale – y compris l'ermite, qui ne s'isolerait pas s'il n'y avait la société. La difficulté doit être reconnue, il ne sert à rien de l'escamoter : le religieux relève de notre conscience, mais le travail de la conscience reste nul s'il ne nous relie qu'à nous-même. Sauf à se suffire à elle-même dans une sorte de circularité autiste, la conscience se situe nécessairement dans son rapport à l'univers, aux autres.

À partir de ces prémisses, le rôle et la place du religieux dans l'histoire des diverses sociétés humaines nous apparaissent sous un jour singulièrement différent. Pour commencer, le sacré est toujours là, quelque part, dans toutes les sociétés. On peut en faire ce qu'on veut, le symboliser, le ritualiser, le récupérer, le canaliser, le détourner, le déplacer, l'oublier, le ridiculiser, le nier. Aucun usage, aucun détournement, aucune négation ne l'efface des profondeurs où il s'inscrit. Autant vouloir nier l'être. L'être est la question que nous passons notre vie à évacuer de notre conscience mais qui revient toujours à ses moments les plus cruciaux, devant la mort. Il se peut qu'un jour, très loin de nous, l'être cesse de se questionner, mais ce ne sera plus l'être de l'homme.

Ainsi les sociétés ne se distinguent-elles pas, au chapitre du sacré, par la distance plus ou moins grande qu'elles prennent à l'égard de ce dernier, comme un adulte le fait par rapport à son enfance, mais par la façon dont elles le traitent, par la place qu'elles lui réservent. Voilà qui nous incite à refaire notre petit voyage historique de tantôt avec un autre regard. Pour voir d'abord comment le politique participe du sacré et ensuite comment le sacré participe au politique. Ces deux mouvements seront exposés par commodité comme deux moments de l'histoire. En réalité ils s'interpénètrent sans cesse, avec dominance de l'un sur l'autre, suivant les phases considérées – le passage d'une phase à l'autre ne constituant à priori ni progrès ni régression.

2.2. Le sacré comme fondement du politique

On voit pour commencer que ce qu'il y a de « primitif » dans les sociétés que nous qualifions à la légère de cette épithète, ce ne sont sûrement pas les croyances ni les rites qui les caractérisent. Loin d'être « dépassés », les unes et les autres y assurent une cohésion qui a de quoi nous faire réfléchir. Nulle part, peut-être, l'écart entre l'être et l'étant (le monde), entre le sacré et le quotidien n'est aussi faible que dans ces sociétés. Ce qui fait dire à Mircea Eliade, dans son introduction à son ouvrage sur *Le sacré et le profane*, que « pour les "primitifs", comme pour l'homme de toutes les sociétés pré-modernes, le *sacré* équivaut à la *puissance* et, en définitive, à la *réalité* par excellence. Le sacré est saturé d'être » (1965, p. 16). Pauvres matériellement et peu développées techniquement selon les critères de la modernisation, la plupart de ces sociétés sont d'une vitalité et d'une cohérence religieuses de beaucoup supérieures aux nôtres. À ce chapitre, elles n'ont rien à nous envier.

Eliade situe toutes les sociétés « pré-modernes », à l'égard du sacré, au même niveau. Cette classification n'est peut-être pas très heureuse, tant du fait de l'immense diversité des catégories qu'elle recouvre que par l'ambiguïté de son point de référence. Mais elle a le mérite d'attirer notre attention sur l'apparence, au sens fort, sur l'importance qu'il y a à ce que le sacré apparaisse, à ce qu'il soit manifeste à tous. Manifestation à laquelle les sociétés antiques ont toutes apporté beaucoup de soin. L'Égypte pharaonique en fournit l'exemple pour nous le plus riche et le plus frappant : la vie terrestre y est régie par un ordre cosmique auquel les Égyptiens sont reliés par la personne divine de Pharaon, à qui revient la tâche cruciale de porter les décisions majeures dont dépend la prospérité du pays (semailles, irrigation, récoltes, etc.). Du cosmos au paysan, il n'y a pas de rupture symbolique, la hiérarchie sociale s'inscrit dans la logique de l'ordre divin, dont la continuité est assurée par l'immortalité du dieu incarné (Pharaon ne « meurt » pas mais transite vers le monde cosmique d'où son successeur vient le relayer). N'en concluons pas naïvement à un ordre parfait, à un empire immuable, sans ruptures, sans déchirements, sans intrigues ; pour impressionnante que soit sa longévité, l'histoire de l'Égypte n'en est pas moins ponctuée de crises graves. N'y projetons pas non plus nos images du despotisme ou du totalitarisme

– absolutisme étouffant dont les grandes pyramides seraient le témoignage scandaleux. Le monde égyptien ne paraît pas univoque, sa mythologie foisonne de divinités très diverses ; la richesse de sa sculpture, de sa peinture, de sa science, de sa philosophie ne permet aucune réduction simpliste de cet ordre. Nous ne gagnons rien, de toute façon, à juger ce que nous ne pouvons comprendre que très imparfaitement. L'essentiel à retenir, pour notre propos, de la société pharaonique, c'est que nos distinctions habituelles entre les instances économiques, politiques et religieuses n'y veulent strictement rien dire. De ce point de vue, cette grande civilisation serait très « primitive » !

Le monde grec nous semble évidemment plus familier, habitués que nous sommes à y voir le berceau de la philosophie occidentale. Nous savons pourtant que la spéculation philosophique n'y a pas chassé ni même nécessairement affaibli le sentiment religieux. Il est significatif que les dernières paroles que Platon met dans la bouche de Socrate mourant soient pour rappeler à ses amis qu'il doit un coq au dieu Asclépios et pour leur demander de le lui offrir en sacrifice après sa mort. Le sacrifice en Grèce occupe une place symbolique centrale. Il relie la cité au monde divin, en lui assurant notamment la protection de ses dieux tutélaires, et il rassemble les citoyens dans la même communauté politique. Le rite n'est pas seulement une offrande au dieu, dont l'essence immortelle n'a pas à se nourrir de mets périssables et qui se satisfait du seul fumet, c'est aussi un partage de la viande, grillée et coupée, entre les humains, tandis que les viscères sont laissés crus aux animaux domestiques. Le sacrifice est au fondement de la vie de la cité, au sein de laquelle s'ordonne l'existence de chacun. Éthique, politique et religion sont inséparables. L'homme libre n'a de liberté et de dignité que comme citoyen, et ce que nous appellerions aujourd'hui sa « réalisation en tant qu'individu » n'a de sens que dans et par la cité. C'est pourquoi l'exil était une peine que Socrate (toujours selon Platon) jugeait plus lourde que la mort. C'est pourquoi également le peuple athénien ne badinait pas avec l'accusation d'impiété, dont le philosophe eut à répondre et qui lui aurait sans doute coûté le bannissement s'il n'avait bravé le tribunal après sa condamnation. En l'accusant de corrompre la jeunesse par son enseignement impie on l'inculpait du crime le plus grave, et qu'il se défendait bien d'avoir commis : saper à la base le lien sacré qui cimentait et protégeait la cité.

À Rome ce lien a la même importance, du moins jusqu'à l'ère chrétienne. Avec la montée du christianisme, longtemps combattu puis toléré par le pouvoir avant d'être adopté par Constantin et proclamé par Théodose comme seule religion officielle en 391, le rapport entre le politique et le religieux fait l'objet d'un âpre et long débat. L'étatisation du christianisme constitue en effet un aboutissement paradoxal. Si, auparavant, l'État romain a cruellement réprimé les sectes chrétiennes, c'est en grande partie parce que la diffusion de leur message risquait de miner le culte des dieux tutélaires dont dépendait le salut de la cité. Encore aujourd'hui, le rôle du christianisme dans le déclin de l'Empire romain suscite la controverse chez les historiens. À plus forte raison à l'époque, quand la victoire de la nouvelle religion correspond à l'effritement de la moitié occidentale de l'empire. En 410, le sac de Rome par les Wisigoths d'Alaric ravive la polémique. Cette catastrophe est présentée par les fidèles de l'ancien culte romain comme la conséquence de l'abandon des dieux protecteurs de la ville, argumentation qui ne laisse pas d'impressionner et qui sème la démoralisation jusque chez les chrétiens. La propagation de cette inquiétude contribuera à convaincre Augustin de se mettre à la rédaction de son œuvre majeure, *La Cité de Dieu*.

De fait, le débat ne se présente pas de la façon dont le voudraient les nostalgiques de l'ordre ancien. À la fin du IVe siècle, cet ordre a depuis longtemps disparu, Rome n'est plus une cité, ni même une cité impériale (la ville de Rome a d'ailleurs cessé d'être la capitale de l'empire). Dès lors, la question religieuse ne peut plus se poser dans les mêmes termes, et le christianisme vient, comme on dit, « à son heure » : si son universalisme s'accorde mal avec les nécessités politiques spécifiques de la cité antique, il correspond en revanche aux visées hégémoniques de l'empire dont il prendra la succession. Il n'en demeure pas moins porteur d'une ambiguïté lisible dans l'œuvre d'Augustin. Même s'il est devenu la religion du pouvoir, le christianisme s'est d'abord répandu contre la volonté de ce dernier. Il en restera toujours dans la communauté chrétienne, notamment parmi les croyants les plus sincères, un refus plus ou moins explicite de s'identifier au pouvoir temporel. Mais c'est également vrai, d'un point de vue moins angélique, de la hiérarchie religieuse la plus compromise avec le prince : l'Église elle-même, papauté en tête, ne renoncera jamais – et cela jusqu'aujourd'hui – à constituer un centre de pouvoir en soi et à revendiquer ses propres États. C'est ce qui, des siècles plus tard, fait dire à Machiavel que l'Église catholique, par ses ambitions, constitue le plus pernicieux obstacle à l'unité italienne. Ce constat machiavélien éclaire très bien notre propos : l'institution chrétienne, à l'inverse de la religion romaine (à laquelle Machiavel se réfère comme modèle), est impropre à remplir la fonction à ses yeux essentielle du religieux, assurer la cohésion du peuple et son adhésion à l'État (*Discours sur la première décade de Tite-Live*, XI-XIII).

En raison des conditions historiques de sa naissance, qui le font progresser dans une sorte de semi-clandestinité, le christianisme introduit peut-être une faille, mince mais irréparable, entre religion et politique. De grands efforts, néanmoins, seront par la suite déployés pour la colmater, tant de la part du prince que du prélat, maintes fois confondus dans la même personne. Ces efforts ne sont pas tous hypocrites ou opportunistes ; le souci de maintenir la cohésion entre les deux instances correspond aussi chez certains à une religiosité profonde. En tout état de cause, il ne fait pas de doute qu'aucun prince de la Chrétienté, du Moyen Âge jusqu'à la Révolution française, n'a pris le risque de rompre avec le christianisme, moins encore d'ôter à son pouvoir toute assise religieuse.

Il va sans dire que dans la société féodale le serment d'homme à homme qui tient les mailles de la hiérarchie, aussi fragile que puisse être cette dernière, est sacré ; chacun jure fidélité et loyauté au nom du Christ. Sacré est le roi, auquel l'onction du *sacre* en France confère le pouvoir miraculeux de guérir qui le touche, et dont le vrai corps réside déjà auprès de Dieu. Sans doute, au Moyen Âge pas plus qu'en d'autres époques, le religieux ne remplace ni ne supprime le rapport de force, mais en fait au contraire puissamment partie. Témoin un épisode, au XIIe siècle, de la lutte entre Louis VII, roi de France, et Henri II Plantagenet, roi d'Angleterre et (entre autres titres) duc de Normandie, qui en tant que tel se trouve être le vassal de Louis, mais un vassal beaucoup plus puissant et menaçant que son suzerain. Le serment féodal n'empêche pas Henri II, chef de guerre peu scrupuleux, de s'opposer militairement à ce suzerain partout où il le peut. Mais il y a une limite qu'il n'ose franchir. Henri se prépare à envahir le fief du comte de Toulouse que le roi Louis a le devoir de protéger ; celui-ci, à court de soldats, s'y rend en catastrophe avec une poignée de chevaliers et s'enferme dans Toulouse avant l'arrivée de l'adversaire. Peu après, Henri met le siège devant la ville, qui n'est pas en état de lui résister militairement. Sachant son suzerain dans la place, il attend vainement son départ pour donner l'assaut ; il finira par lever le siège à l'approche de l'hiver. Ce n'est pas simplement la présence de Louis qui le retient ; c'est le fait que par sa présence, le roi de France accomplit son devoir sacré et fait de l'attaque de la ville une flagrante félonie, une forfaiture particulièrement grave pour son vassal. La force symbolique, revêtue du sacré, l'emporte ici sur la force armée. Parce que le politique est explicitement, manifestement ancré dans le sacré, il a un poids spécifique grâce auquel la politique ne se réduit pas entièrement aux rapports de puissances.

2.3. La sacralisation du politique

Tout pouvoir se cherche d'une façon ou d'une autre une assise, une consécration religieuse. Tant que les deux instances (politique et religieuse) puisent à la même source et ne se contredisent pas, cette légitimation va en quelque sorte de soi. Nous avons vu que le christianisme introduit à cet égard une fissure entre le pouvoir temporel et le pouvoir spirituel qui amène le premier à demander la bénédiction du second, quitte à le menacer pour l'obtenir. La menace ne suffit pas toujours, et il arrive même que le prélat réussisse à faire plier le prince, comme en témoigne la célèbre scène de Canossa, qui nous montre l'empereur d'Allemagne Henri IV, pénitent, agenouillé dans la neige, implorant le pardon du pape aux portes de son château (janvier 1077). À l'inverse, en une autre époque, Henri VIII d'Angleterre, désespérant d'obtenir de Rome l'autorisation de divorcer, créera sa propre Église, *The Church of England* (1534), dont Elisabeth II aujourd'hui est toujours la souveraine. Geste significatif, malgré l'aspect conjoncturel de ce qui le motive. Ou à cause de lui, au contraire : qu'il ait fallu si peu pour amener cette rupture radicale et durable en dit long sur l'évolution des rapports entre l'État et l'Église catholique, laquelle est par ailleurs aux prises avec la Réforme.

La papauté peut bien perdre le monopole de la légitimation religieuse, si tant est qu'elle l'ait jamais eu, il n'empêche que sous une forme ou sous une autre, une caution de cet ordre reste nécessaire. Plus que jamais l'absolutisme royal se veut de droit divin. Mais plus cet absolutisme s'affirme, plus il intériorise et s'approprie la source divine dont il se réclame. Le règne de Louis XIV en offre l'exemple le plus éclatant. Tout en se réclamant de Dieu, le Roi-Soleil n'hésite pas à « paganiser » son image. Comme le montre Jean-Marie Apostolidès dans *Le roi-machine* (Paris, Minuit, 1981), Louis XIV, dès le début de son règne, se donne en spectacle dans des fêtes somptueuses dont il constitue, déguisé en Alexandre ou en Apollon, le personnage central. Par la suite, ces emprunts à l'histoire et à la mythologie antiques ne seront plus jugés nécessaires : le roi est lui-même par la gloire qu'il s'est acquise le Soleil qui éclaire et réchauffe le peuple dont il suce le sang. Le corps du roi incarne le corps de la nation. L'absolutisme mérite bien son nom : le monarque est à lui-même son propre dieu. Mais ce dieu-là ne s'inscrit pas (à la différence d'Apollon) dans un ordre cosmique cohérent partagé par ses sujets et n'a plus grand-chose à voir avec le christianisme duquel il continue théoriquement de recevoir sa légitimation originelle. En ce sens, le règne de Louis XIV prépare le terrain à la philosophie politique des Lumières et à l'idée d'une souveraineté détachée du sacré.

À l'idée seulement. Car ce détachement, jusqu'à notre époque, ne s'est jamais vraiment réalisé, ne s'est effectué qu'en partie, comme nous le verrons plus loin. En réalité, avec le classicisme du XVIIe siècle, la sacralisation du politique ne fait que commencer ou se confirmer, au sens où le pouvoir n'éprouve plus le même besoin de chercher sa légitimation hors de lui-même. La référence extérieure (Dieu) subsiste mais perd de sa force. La force symbolique du pouvoir gît de plus en plus dans la représentation qu'il donne de lui-même. Pourtant, cette représentation ne peut se nourrir exclusivement d'elle-même ; celle du Roi-Soleil continue de s'abreuver à une tradition avec laquelle elle se garde bien de rompre. Et dès que la tête de Louis XVI sera tranchée, et avec elle ce qui liait le pays à cette tradition, les révolutionnaires s'empresseront de décréter un culte nouveau pour rétablir une transcendance à laquelle la République puisse se raccrocher : le culte de l'Être suprême (mai 1794), qui succède au culte de la Raison institué un an plus tôt, et auquel préside le président de la Convention, Robespierre.

La sacralisation du politique vient de franchir un pas de plus, même si l'institution de l'Être suprême représente un retour à une référence extérieure plus prudente par rapport à la déification de la Raison. Mais l'essentiel n'en demeure pas moins que c'est le pouvoir qui *décrète* de toutes pièces, ouvertement, la transcendance qui le légitime ; avouant ainsi à son corps défendant que la nation ne suffit pas tout à fait à se légitimer elle-même. Circularité décidément problématique, du moment que, par ses représentants, c'est néanmoins cette même nation qui institue ce qui la dépasse et l'autorise. On ne doit donc pas s'étonner que cette nouvelle religion, plus nettement politique, ait fait long feu ; même si Machiavel l'aurait peut-être jugée conforme à ses vues, plus proche en tout cas que le christianisme du culte romain qu'il donnait en exemple – et on sait combien l'image de la République romaine était présente à l'esprit de maints révolutionnaires français.

Aucun pouvoir ne peut renoncer à l'usage du sacré, et plus le pouvoir est « laïc », séparé des religions instituées, plus il lui faut se sacraliser, mettre du sacré dans le politique, du moment qu'il ne peut le prendre ailleurs. Le meilleur exemple qu'on puisse donner de cette sacralisation est le mausolée de Lénine sur la Place Rouge : Staline, comme jadis Robespierre, savait qu'il fallait un temple et un culte au nouveau régime. Lénine mort était plus utile que Lénine vivant. À une autre échelle et plus près de nous, nous avons un exemple du même ordre : l'instant de méditation souveraine et solitaire, dûment médiatisé, du socialiste François Mitterrand au Panthéon. Ici, c'est la mémoire et la culture, l'ensemble des « grands hommes » de l'esprit, qui servent d'inspiration sacrée au président élu. Partout, peu ou prou, il faut au pouvoir de la pompe. Certains savent l'utiliser (De Gaulle était de ceux-là), d'autres non. En Amérique du Nord, il est vrai, cette sacralisation est beaucoup moins manifeste, comme si le pouvoir tenait au contraire à banaliser le plus possible son apparence. Nous y reviendrons. Mais d'abord un retour à la signification profonde du religieux s'impose.

3. L'irréductible énigme du sacré

Que le religieux et le politique soient depuis toujours intimement liés, que le pouvoir tende à compenser sa laïcisation en se sacralisant lui-même ne signifie nullement que le sacré se réduise au politique. L'accent que nous avons mis sur la cohésion politico-sociale ne doit pas faire oublier ce que nous disions au début : que le religieux répond aussi et peut-être avant tout à un besoin de cohérence, en cherchant à établir un lien avec l'univers. Ce besoin ne disparaît pas du fait que les instances qui tentent d'assurer la cohésion politique en sacralisant l'État se distancient de celles qui prétendent régir le rapport à la transcendance en s'appropriant le divin. Telle est précisément la vision simpliste de l'évolution religieuse contre laquelle nous nous inscrivons en faux tout au long de ce chapitre. Quoi qu'il en soit des relations entre *institutions* politiques et religieuses, le sacré demeure. Non pas seulement dans le politique, non pas seulement dans l'institution religieuse (là parfois moins que partout) mais surtout, irréductiblement, dans l'humain.

L'irréductibilité du religieux vient de ce qu'il y aura toujours en nous, si enfoui soit-il, un désir de sens que rien de matériel ne suffit à assouvir. Quand bien même nous passerions notre vie à n'y pas penser, le monde et notre présence au monde constituent une énigme à laquelle il n'y a pas de réponse assurée. La foi cherche cette assurance, plus qu'elle ne l'a. Quête dont Edmond Jabès résume le sens dans cette vertigineuse définition de la transcendance : « Dieu est la métaphore du vide. » Nous pouvons récuser la métaphore, mais pas le manque qu'elle traduit, pas la question qu'elle recouvre. Que nous soyons athées ou croyants, la question de l'être a quelque part sa résonance en nous : « Pourquoi donc y a-t-il l'étant et non pas plutôt rien ? », demande Heidegger. Question première – ou dernière – de la métaphysique. La métaphysique est justement, dira-t-on, ce qui ne concerne plus personne aujourd'hui, mis à part quelques spécialistes déconnectés de la réalité. Quoi qu'il en soit de l'état actuel de la métaphysique, la question qu'elle pose demeure.

> Chacun de nous se trouve quelque jour, peut-être même plusieurs fois, de loin en loin, effleuré par la puissance cachée de cette question, sans d'ailleurs bien concevoir ce qui lui arrive. À certains moments de grand désespoir par exemple, lorsque les choses perdent leur consistance et que toute signification s'obscurcit, la question surgit. Peut-être ne nous a-t-elle touché qu'une fois, comme le son amoindri d'une cloche, qui pénètre en notre être-Là, et se perd de nouveau peu à peu. (Heidegger, *Introduction à la métaphysique*, Paris, Gallimard, 1967, p. 13.)

Ainsi, le déclin de l'institution religieuse, la diminution du nombre de fidèles, la difficulté de recruter des prêtres, la séparation de l'Église et de l'État, rien de tout cela ne doit être confondu avec le « déclin du religieux », expression à la limite vide de sens. Nous, « modernes », avons beau nous vanter ou nous désoler d'avoir « tué Dieu », selon le mot de Nietzsche, nous n'avons pas pour autant comblé le manque. Nous n'avons pas résolu l'énigme ni éradiqué en nous le désir de transcendance, le besoin de conjurer la mort – fût-ce par l'apprivoisement de la mort même. L'aurions-nous fait que nous approcherions de l'état de « surhomme » auquel Nietzsche convoquait l'humanité, au prix d'une haute lutte sur elle-même. Le célèbre passage où le philosophe tente de donner une idée de l'immensité du travail qui attend les meurtriers de Dieu que nous sommes mérite d'être cité dans sa totalité :

> *L'Insensé*. – N'avez-vous pas entendu parler de ce fou qui allumait une lanterne en plein jour et se mettait à courir sur la place publique en criant sans cesse : « Je cherche Dieu ! Je cherche Dieu ! » Mais comme il y avait là beaucoup de ceux qui ne croient pas en Dieu son cri provoqua un grand rire. S'est-il perdu comme un enfant ? dit l'un. Se cache-t-il ? A-t-il peur de nous ? S'est-il embarqué ? A-t-il émigré ? Ainsi criaient et riaient-ils pêle-mêle. Le fou bondit au milieu d'eux et les transperça du regard. « Où est allé Dieu ? s'écria-t-il, je vais vous le dire. *Nous l'avons tué,*... vous et moi ! C'est nous, nous tous, qui sommes ses assassins ! Mais

> comment avons-nous fait cela ? Comment avons-nous pu vider la mer ? Qui nous a donné une éponge pour effacer tout l'horizon ? Qu'avons-nous fait quand nous avons détaché la chaîne qui liait cette terre au soleil ? Où va-t-elle maintenant ? Où allons-nous nous-mêmes ? Loin de tous les soleils ? Ne tombons-nous pas sans cesse ? En avant, en arrière, de côté, de tous côtés ? Est-il encore un en-haut, un en-bas ? N'allons-nous pas errant comme un néant infini ? Ne sentons-nous pas le souffle du vide sur notre face ? Ne fait-il pas plus froid ? Ne vient-il pas toujours des nuits, de plus en plus de nuits ? Ne faut-il pas dès le matin allumer des lanternes ? N'entendons-nous encore rien du bruit que font les fossoyeurs qui enterrent Dieu ? Ne sentons-nous encore rien de la décomposition divine ?... les dieux aussi se décomposent ! Dieu est mort ! Dieu reste mort ! Et c'est nous qui l'avons tué ! Comment nous consolerons-nous, nous, meurtriers entre les meurtriers ! Ce que le monde a possédé de plus sacré et de plus puissant jusqu'à ce jour a saigné sous notre couteau ;... qui nous nettoiera de ce sang ? Quelle eau pourrait nous en laver ? Quelles expiations, quel jeu sacré serons-nous forcés d'inventer ? La grandeur de cet acte est trop grande pour nous. Ne faut-il pas devenir dieux nous-mêmes pour, simplement, avoir l'air dignes d'elle ? Il n'y eut jamais action plus grandiose et, quels qu'ils soient, ceux qui pourront naître après nous appartiendront, à cause d'elle, à une histoire plus haute que, jusqu'ici, ne fut jamais aucune histoire ! » L'insensé se tut à ses mots et regarda de nouveau ses auditeurs : ils se taisaient eux aussi, comme lui, et le regardaient avec étonnement. Finalement il jeta sa lanterne sur le sol, en sorte qu'elle se brisa en morceaux et s'éteignit. « J'arrive trop tôt », dit-il alors, « mon temps n'est pas encore venu. Cet événement énorme est encore en chemin, il marche, et il n'est pas encore parvenu jusqu'à l'oreille des hommes. Il faut du temps à l'éclair et au tonnerre, il faut du temps à la lumière des astres, il faut du temps aux actions, même quand elles sont accomplies, pour être vues et entendues. Cette action leur demeure encore plus lointaine que les plus lointaines constellations ; *et ce sont eux pourtant qui l'ont accomplie !* » On rapporte encore que ce fou entra le même jour en diverses églises et y entonna son *Requiem æternam Deo*. Expulsé et interrogé il n'aurait cessé de répondre toujours la même chose : « Que sont encore les églises sinon les tombeaux et les monuments funèbres de Dieu ? » (*Le gai savoir*, III, n° 125.)

Cette parabole, sous ses dehors théâtraux, exige plusieurs lectures attentives. Chaque mot, chaque intonation, chaque geste compte. Nous ne pouvons ici faire l'exégèse nécessaire à l'exposition de sa richesse, de ses contradictions, de ses nuances. Qu'il nous suffise de voir à quelle distance, proprement astronomique, Nietzsche situe l'humanité de ses propres actes. L'essentiel n'est pas le meurtre de Dieu, l'essentiel est que le sens de ce meurtre, « trop grand pour nous », n'est pas entendu. L'espoir dont il pourrait être porteur se noie dans notre ignorance, dans l'incapacité où nous sommes d'en assumer toute la responsabilité. À son cœur défendant, en quelque sorte, Nietzsche exprime notre incapacité radicale à nous passer de la transcendance, alors même que nous en sommes les efficaces fossoyeurs. Le plus terrible, encore un coup, consiste à ne pas voir ce que nous avons fait ou à n'en pas saisir la portée ; soit que nous ignorions l'ensevelissement auquel nous participons, soit que nous nous en félicitions comme d'une bonne chose de faite.

Nietzsche, dira-t-on, se trompe. Dieu n'a fait que se retirer de la place publique où le cherche l'insensé ; les églises se transforment en tombeaux parce que la transcendance, dans nos sociétés occidentales, s'est logée là où elle doit être : au cœur de la personne, au plus intime de nous-mêmes, que nous partageons chacune et chacun avec qui nous semble bon, publiquement ou privément. Cela se peut. Mais il se peut également que la plupart d'entre nous ne sachent pas trop, ne veuillent pas trop savoir où ils en sont dans leur rapport intime à ce qui les dépasse ; que la société où nous vivons ne nous en laisse guère le loisir, ou même que, Église en tête parfois, cette société nous en décourage. Car il n'est pas certain que nous soyons tous réellement prêts à faire face à l'énigme de la vie et à la perspective de la mort dans une sereine solitude ; il n'est pas certain que pour chacun d'entre nous le désir de cohérence puisse s'articuler à l'univers sans souci de cohésion sociale. À moins que nous ne devenions tous ermites dans la foule, nous côtoyant les uns les autres dans l'indifférence générale et dans notre béatitude propre, étanches l'une à l'autre... Dans un tel monde, en effet, le politique ne serait plus.

Sauf à croire que la vie sociale puisse s'effacer à l'horizon de l'humanité, la question du politique ne cessera donc de se poser à nous, quand bien même nous continuerions de tout faire pour la nier, pour l'évacuer, pour l'ensevelir. Aucune négation, aucun enfouissement ne saurait faire disparaître la question de l'être-ensemble : celle-ci continuera son chemin sous l'amoncellement de tout ce dont nous la recouvrons, pour ressurgir, comme une mauvaise fièvre, là où nous ne l'attendrons pas. S'il est donc vrai que la préoccupation (ou l'insouciance) religieuse, chez nous, est devenue l'affaire de l'individu, la question n'en demeure pas moins : *Qu'advient-il du politique lorsque ce qui fait lien, ce qui fait sens déserte l'espace public ?*

Cette interrogation nous ramène sous un autre angle au thème du chapitre précédent : elle nous permet de jeter une lumière plus vive sur les mésaventures de la modernité, sur le sens de la déviation que représente la modernisation par rapport aux idéaux des Lumières. Si la modernisation ne comble pas les attentes de la modernité, ce n'est pas uniquement parce qu'il y a eu de graves erreurs de parcours ; erreurs qu'une meilleure vigilance permettrait maintenant de redresser, comme s'il suffisait de remettre la locomotive sur ses rails pour mener le train à bon port. L'image du chemin de fer est tragiquement inadéquate pour la bonne raison qu'il n'y pas de ligne, pas de direction. La modernité ne saurait être un but, elle est tout au plus un horizon incertain vers lequel nous aurions à naviguer sans carte et sans boussole. Voguer vers elle – sans même parler de l'atteindre ! – se révèle chaque jour une entreprise plus difficile que la veille, comme si les difficultés croissaient en proportion de notre progression. C'est dire que l'utopie directrice de la modernité, à elle seule, ne suffit pas : du moment qu'il n'est plus question d'*arriver* où que ce soit, il faut que le voyage lui-même fasse sens. Si nous ne pouvons dire *vers quoi* nous faisons route, il devient d'autant plus nécessaire de s'arrêter au *comment*. Ne plus réfléchir à la manière d'être ensemble, ce serait abdiquer le politique, et avec lui notre humanité même.

Ce n'est pas parce que le sens, aujourd'hui, apparaît politiquement introuvable que nous pouvons impunément y renoncer. Et de fait nous n'y renonçons pas. Le désir du sens commun n'est pas mort. Mais devant les terribles déconvenues de la modernisation – deux guerres mondiales, les camps d'extermination, Hiroshima, l'écart croissant des inégalités, la dégradation de notre milieu terrestre, la faillite des idéologies de progrès – ce désir s'est (momentanément ?) retiré du champ politique, et le sacré a emprunté d'autres avenues.

4. Oubli et déplacement du sacré

Contrairement au schéma reçu selon lequel nos sociétés auraient évolué du religieux vers le laïc, le besoin de sacré n'a pas disparu. Il n'est qu'occulté ou travesti. Comme ce qui était manifestement religieux (le cérémonial de l'Église, les processions, etc.) ne comble plus nos attentes, il y a fort à parier que ce religieux s'est déplacé là où on ne le voit pas ; plus exactement là où, contre toute attente, il réapparaît sous d'autres noms. Il y a oubli du sacré en ce que son sens premier n'est plus perçu, en ce qu'il n'agit plus comme force qui profondément relie. Le *besoin* que nous avons de lui, néanmoins, se fait sentir et provoque sa réapparition dans d'autres sphères de la société sous des déguisements à la fois familiers et méconnaissables. Appelons cela le déplacement du sacré.

4.1. Les lieux du déplacement

Le lieu où ce déplacement est le moins difficile à repérer, où il est à la fois le plus nécessaire et en perte notable d'efficacité, nous le connaissons, c'est le politique... Réflexion faite, il y a erreur sur l'article. Le lieu dont il s'agit est ici *la* politique : si le sacré était dans *le* politique, s'il y faisait lien, il serait en quelque sorte à sa place, et il n'y aurait pas lieu de parler de déplacement. C'est parce que *le* politique en tant que lien (en tant que sacré) pose problème, qu'il y a glissement vers *la* politique. En effet, la pompe étatique habituelle (cérémonial du discours du trône, visite protocolaire de la reine, commémorations des « morts pour la patrie », accrochages de médailles) ennuie aujourd'hui la plupart des gens, sauf, à la rigueur, en des occasions très particulières : funérailles d'un président assassiné, bicentenaire d'une révolution. Au reste, c'est dans le spectacle de la politique, si pathétique soit-il, que nous retrouvons, sinon des émotions, du moins des excitations collectives : empoignades dans le cirque parlementaire, campagnes référendaires, soirée d'élections, gaffes politiciennes, scandales. Ce déplacement est particulièrement visible en Amérique du Nord, où le sens de l'apparat est généralement assez peu développé, voire délibérément ignoré. Ce dédain envers l'éclat solennel du pouvoir n'est évidemment pas étranger à l'image pionniériste que les Américains se font de leur société et de leur démocratie, mais il indique aussi avec plus de force qu'ailleurs la trivialité de la scène politique et accentue l'aspect commercial de ce qu'on y produit. La politique est une marchandise comme une autre, jusque dans son vocabulaire : il ne s'agit plus tant de savoir si telle décision, telle entente, telle mesure est juste, bénéfique, mais plutôt d'évaluer si elle est « vendable ». Ce n'est bien sûr qu'une façon de parler. Mais il n'est pas indifférent de savoir comment on parle de ce qui est censé faire consensus dans une société.

Le refuge que la politique offre au sacré est donc bien pauvre. Mais il est d'autres lieux où le religieux peut se loger : l'art, le vedettariat, la guerre, l'économie, la science.

L'art (l'ensemble des arts) constitue sans doute le substitut le plus proche du sacré. L'art est religieux de naissance, du moment qu'il a pour mission de dire, de représenter ce qui fait lien, avec toute la vigueur, toute l'ingéniosité dont il est capable. Ce n'est pas par hasard que le Parthénon, la cathédrale de Chartres, le Taj Mahal nous frappent encore si puissamment de leur beauté : la reconnaissance, la ferveur, l'amour, le désir de lier l'humain à plus haut que lui les ont érigés. Si, en Occident, l'art s'est progressivement détaché de la religion au service de laquelle il œuvrait, c'est probablement par souci de préserver l'authenticité de ce qu'il exprimait ; c'est parce qu'il demeurait, en quelque sorte, plus vrai que l'institution qu'il servait. La beauté de la *Pietà* de Michel-Ange, qui traduit la sensibilité et le sentiment religieux de son créateur et dont le pouvoir d'émotion demeure intact jusqu'à nous, cette beauté n'a rien à voir avec l'Église pour laquelle elle a été sculptée. Le pape le plus indigne ne peut empêcher la *Pietà* de rayonner. Inversement, il est compréhensible que l'art en vienne à chercher sa vérité en dehors d'une institution qui ne la porte plus depuis longtemps et qui a perdu une bonne part de son pouvoir de persuasion.

Un important transfert s'est ainsi produit en Occident par lequel l'art est devenu à certains égards plus authentiquement religieux que la religion. Changeant de dieu avec la société, voire avant elle, il s'est mis au service du Vrai, du Beau, de l'Humain, de la sensibilité intime du Moi, quand il ne s'est pas enrôlé, avec un succès mitigé, sous la bannière de la Raison, de la Patrie ou du Progrès. Toutes choses, ou presque, auxquelles nous n'accordons aujourd'hui guère plus de crédit qu'à l'Église. Devant la dépréciation des idéaux qui le nourrissaient, l'art s'est dirigé vers ce qu'il pouvait faire de mieux : « dire » le manque, la perte, l'indicible, l'ineffable, sentiments que l'art, au fond, a toujours su faire surgir, y compris au sein de l'Église, chaque fois qu'il était en quête de vrai. Mais ce manque, cet ineffable, par définition, ne pouvaient justement pas être *dits* ; tout au plus pouvaient-ils être évoqués en creux de l'*objet de l'art*, de l'objet qui sert de support à l'art : une descente de croix, un paysage, une intrigue, un thème musical. Ce dire est pourtant bien ce qui a été tenté : l'art abstrait peut être considéré comme l'art qui renonce à expliciter son support, comme la tentative de dire l'immédiateté de l'indicible. Contradiction dans les termes. À force de vouloir exprimer l'impossible, à force de creuser sa propre impuissance, cet art s'est mis à tourner sur lui-même – l'extrême de ce qu'on appelle parfois « l'art pour l'art ». Ces déplacements successifs ont abouti à un paradoxe qui n'est pas sans ressemblance avec ce qui s'est passé pour le politique : l'art est aujourd'hui à lui-même sa propre référence. Disons du moins qu'il tend vers cette expression auto-référentielle. En tant que tel, il cesse à son tour de *relier*, tant l'humain à l'univers que les humains entre eux. Chaque personne fait de l'art ce qu'elle fait du sentiment religieux : ce qu'elle veut, ce qu'elle peut, à partir de son « bagage culturel ». L'art offre par là un refuge élitaire et précaire – puisqu'à la limite du sens — au désir individuel de la transcendance. Loin de rallier le sens, il manifeste son éclatement. L'art est de nos jours plus que jamais l'expression du manque.

Le vedettariat comble-t-il cette carence ? Serait-il aux masses ce que l'art contemporain est à l'élite ? Dichotomie grossière dans des sociétés où « tout est à tout le monde » et où les comportements de masses et les comportements élitaires cohabitent chez les mêmes individus. L'analogie entre la fonction de l'art et celle du vedettariat n'en reste pas moins pertinente : tous deux absorbent à leur façon le besoin individuel et social de religieux, mais aujourd'hui, semble-t-il, le second y parvient mieux que le premier. C'est un lieu commun de notre univers médiatique que les vedettes du spectacle, des sports et des arts eux-mêmes sont les idoles de nos sociétés, héroïnes et héros auxquels chacune et chacun peuvent s'identifier et en qui nous pouvons assouvir notre désir de dépasser le quotidien. Paganisme moderne qui n'est pas sans ressemblance avec celui de l'Antiquité. À une différence près, cruciale : nos dieux sont éphémères, jetables, parfois recyclables ; nous ne les adorons pas, nous les consommons ; on pourrait même dire que leur consommation tient lieu de sacrifice. Les liens qu'ils tissent sont provisoires. En somme, nos dieux sont à l'image de nos sociétés.

La guerre est évidemment le refuge sanglant du sacré, lieu par excellence du haut-fait, du surpassement et du sacrifice collectif. C'est un secret de Polichinelle des chefs que rien ne soude une collectivité autant que la guerre, y compris dans la défaite, si elle n'est pas honteuse. En ce sens, les guerres, et plus particulièrement les guerres « nationales », sont toutes religieuses, du moins dans la mesure où elles mettent en jeu l'avenir du pays ou du groupe qui la mène. On ne pourrait comprendre, sinon, que tant de gens, civils et militaires, acceptent si facilement, somme toute, de subir de grandes privations et de mourir pour la patrie ou pour des idées. Mais la guerre est une déesse exigeante et risquée qui dévore ses fidèles, sur l'autel de laquelle on ne peut sacrifier que dans les grandes occasions. À moins de la réduire à un exercice de pilonnage lointain que nous pouvons croire suivre aux commandes de notre téléviseur dans un état de transe collective comparable à celui que suscite le match de l'année.

L'économie, de nos jours, est une déesse plus constante, mieux honorée mais non moins dévorante : c'est à elle que vont la plupart de nos sacrifices quotidiens. Nous lui sacrifions notre temps, notre santé, notre équilibre mental, nos enfants, nos amis, notre vie. Il n'y a peut-être que la passion amoureuse pour la supplanter, momentanément, témoignage de ce qu'il faut le désir fusionnel de tout l'être, l'élan sacré de l'amour pour oublier la toute-puissance du dieu dollar, ... que l'amour même ne manquera pas de rappeler sur son piédestal. Ironie facile : l'argent n'est jamais qu'un moyen, et ce que nous voulons de lui, toujours autre chose (confort, plaisirs, rêves, etc.). Mais de ce que l'argent est l'équivalent général de tout ce qui s'échange et s'acquiert dans la société, nous en faisons plus ou moins consciemment l'équivalent général du bonheur et, par suite, le but le plus constant de nos efforts. Cela, quand bien même nous savons que les choses les plus précieuses ne s'achètent pas. Mais les biens les moins vénaux finissent par perdre tout attrait sous le laminage de la misère. Nous sommes plus que jamais dans des sociétés où vivre pauvre ce n'est pas seulement vivre mal, c'est vivre méprisé, indigne.

Pourtant, au plan collectif, c'est la dignité de nos semblables que nous sacrifions chaque jour aux mâchoires béantes de l'économie, comme on jetait jadis les enfants de Canaan dans la gueule brûlante de Moloch. L'économie, en effet, n'est pas seulement une divinité domestique, même si, étymologiquement, c'est bien de l'équilibre de la maison qu'il devrait s'agir (« éco- » vient du grec *oikos*, maison) ; c'est surtout le Jupiter olympien de nos sociétés, devant les exigences duquel il est demandé à chacune et chacun de nous, différemment suivant sa position sociale, de « faire des sacrifices » pour conjurer l'humeur maussade du dieu (entendez : la crise). Nos gouvernements ont bâti à cet effet une véritable liturgie du culte économique, que nous acceptons comme un ensemble de faits objectifs qui n'ont rien à voir avec la volonté collective, auxquels celle-ci doit au contraire se soumettre aussi nécessairement qu'à la loi de la gravité. Bien qu'inhumaine, l'exclusion d'une part grandissante de nos semblables du paradis de l'économie, dont le chômage serait le purgatoire et l'assistance sociale l'enfer, n'est plus notre affaire. Ce n'est plus qu'une calamité naturelle avec laquelle il faut s'arranger, problèmes qu'on laisse, avec la météorologie, aux mains des experts. Les taux d'inflation, de chômage, d'escompte, de croissance, d'endettement apparaissent aux mieux comme les variables d'une équation savante dont seuls les spécialistes – les prêtres du culte – détiennent la clé. La déesse économie bénéficie de l'appui capital de sa sœur préférée : la science. Non pas seulement la science économique, dont les performances demeurent sujettes à caution, mais l'ensemble des sciences appliquées, qui, comme nous l'avons vu, alimentent la course économique avec leurs incessants changements technologiques.

La science, malgré les mésaventures de la raison, malgré le scepticisme qui entoure depuis longtemps l'idée de progrès, apparaît comme l'ultime rempart de notre foi. Il y a à cela une explication assez simple : la techno-science, dans nos sociétés, est *la* chose qui avance, la seule peut-être, celle en tout cas dont le progrès est le plus visible. Il y a là en effet une progression que, pour le meilleur ou pour le pire, rien ne semble pouvoir arrêter. Même si c'est en partie du développement incontrôlé de notre technique que viennent peut-être nos plus graves périls, c'est encore de cette technique que nous attendons le plus notre salut. Cette contradiction n'est pas nécessairement absurde, mais elle exige une réflexion sur le savoir et la technique que nous aborderons dans notre dernier chapitre. Il suffit pour le moment de noter que la technique constitue aujourd'hui notre seule religion planétaire, le seul lien concret qui, de façons très diverses, traverse tous les pays, le seul dieu auquel aucune société ne renonce. Mais ce dieu ne suffit pas à faire une religion à l'humanité.

Quand bien même la technique moderne serait le produit d'un ensemble de valeurs, ces valeurs qui auraient contribué à la produire ne l'accompagnent pas dans son expansion, y compris dans les pays qui l'ont vu naître et grandir. Ce qui fait l'universalité de la technique, c'est précisément qu'elle augmente et voyage indépendamment de tout système de croyance. Même si chaque culture finit, parfois malgré elle, par l'accueillir, chacune lui voue un culte différent, chacune l'épouse à sa manière. La technique moderne est à la fois universelle dans ses traits fondamentaux et multiple dans ses modes et ses usages. Rien n'est plus simple que d'apprendre à se servir d'un fusil, rien n'est plus universel que l'arme à feu. On l'utilise partout. Mais partout différemment, et les valeurs qu'elle sert ne se rencontrent le plus souvent que dans la mort. La technique fait tache. Elle ne fait pas autorité.

4.2. La question de l'autorité

La relation du politique et du religieux pose en fin de compte la question de l'autorité, qui n'est pas celle du pouvoir, mais bien celle de ce qui *autorise* le pouvoir. Nous avons vu que le politique, dans sa boucle auto-référentielle, n'y suffit pas : il ne pourra jamais s'autoriser que de lui-même – sauf à se réclamer tout crûment du rapport de force, ce qui revient encore au même. Cette insuffisance est d'autant plus problématique qu'elle n'est pas reconnue. Le plus grave dans nos sociétés n'est pas l'absence de sens. D'une façon ou d'une autre, le sens a toujours été « ab-sens », manquant ; mais du moins ce manque était-il nommé, porté par un symbole reconnaissable, sinon acceptable, par tous. Le plus grave est le charivari des multiples sens qui couvre aujourd'hui la conscience de ce manque et sert de terreau au cynisme ordinaire. Sous ce désenchantement de la conscience collective, le manque, le besoin de sacré n'ont pas disparu. Mais comme nous ne les comprenons plus, ils n'existent plus pour nous. Nous nous croyons émancipés, alors même que cette fausse lucidité laisse dans l'obscurité un champ sans bornes ouvert à toutes les manipulations, à toutes les peurs, à toutes les haines collectives. Taire le manque, taire l'absence de ce qui nous relie, nous interdit de poser la question qu'aucune société ne peut ignorer sans péril : Y a-t-il moyen de mettre le religieux, le sens, ne serait-ce que comme interrogation, en exergue de la cité, de façon que le politique reste pensable en tant que lieu commun ? Mais ce silence auquel nous sommes réduits, peut-être est-ce précisément notre moderne religion du savoir qui nous l'impose.

CHAPITRE 4

LE POLITIQUE ET LE SAVOIR

Les trois chapitres précédents font tous ressortir d'une façon ou d'une autre l'importance politique du savoir : connaissance de soi dans la question identitaire ; critique de la raison qui sert de fondement à l'État moderne ; autorité de la science comme source de consensus – ou de mutisme – social. Trois thèmes que nous allons reprendre et développer ici dans une réflexion générale sur les rapports entre politique et savoir, mais suivant une logique différente qui fera de l'épistémologie notre fil d'Ariane.

Savoir, science, connaissance, trois termes qui se recoupent sans se recouvrir complètement. Dans notre acception, le savoir (qu'on appellera aussi *les* connaissances) renverra à la catégorie la plus générale, la plus globale, la moins différenciée de ce que nous savons ou ignorons du monde, mais sans nécessairement inclure le savoir-faire de la vie quotidienne et de ses divers métiers, que nous appellerons plus volontiers « technique(s) ». Nous utiliserons de préférence le mot science pour désigner le savoir systématique et cumulatif régi par des disciplines qui revendiquent à tort ou à raison une rigueur propre à leur objet, réservant plus spécifiquement l'expression de sciences expérimentales ou instrumentales aux disciplines scientifiques dont le développement se poursuit en interaction de plus en plus étroite avec la technique moderne, combinaison que nous avons déjà abordée sous le terme composé de techno-science, la technologie renvoyant plutôt dans notre terminologie au discours sur cette techno-science. Quant à *la* connaissance, distincte ici des connaissances en général, elle désignera cette zone floue et essentielle de l'expérience humaine par laquelle, pour peu que nous y prêtions attention, nous sommes en contact intime, empathique avec les choses, soit une appréhension intérieure ou intuitive qui ne se laisse ni démontrer ni réfuter, qui procède de l'esprit de finesse cher à Pascal et sur lequel l'esprit de géométrie (ou la preuve scientifique) n'a généralement pas de prise.

Ces catégories, purement pratiques et indicatives, ne sont évidemment pas étanches : ainsi l'intuition (esprit de finesse) joue un rôle crucial dans les sciences instrumentales, où elle trouve sa confirmation ou son infirmation par l'expérimentation. De même, technique et science sont dans un rapport variable dans le temps et dans l'espace, rapport qui, depuis deux siècles, n'a cessé de s'intensifier. Ce rappel suffit à montrer à quel point toute compartimentalisation du savoir et des techniques est arbitraire. De façon générale, le terrain sur lequel nous nous aventurons ici est d'une complexité infinie, raison pour laquelle l'épistémologie (littéralement : le discours sur le savoir) fait elle-même l'objet d'une spécialisation poussée, bien que nous soyons tous amenés un jour ou l'autre à nous demander comment et pourquoi nous pensons savoir ce que nous savons. Malgré la complexité de cette question, nous partons ici de la conviction qu'il est possible de conduire une réflexion générale, profane en quelque sorte, sur les conditions du savoir. À vrai dire, plus que d'une conviction, il s'agit là d'une position de principe, dont l'enjeu, comme nous le verrons, est nettement politique : il n'y a pas de débat politique qui vaille sans langage commun ; et il n'y a plus véritablement de langage commun si le développement des disciplines spécialisées ne permet plus de réflexion autre que spécialisée sur les enjeux qui en découlent. Il n'est évidemment pas à priori exclu que la langue commune disparaisse sous la multiplication des jargons spécialisés. Mais cette éventualité même mérite réflexion, en raison, précisément, de ses implications politiques.

1. Savoir et pouvoir dans la religion et la philosophie

Le rapport entre savoir et pouvoir est au moins aussi vieux que celui existant entre l'État et la religion. La connaissance initiale – si cela veut dire quelque chose, et notamment quelque chose de différent de ce qui serait un « simple » savoir-faire pratique – est même entièrement religieuse. Nous ne pouvons donc faire l'économie d'un regard, si sommaire soit-il, sur la relation entre le savoir et le sacré.

1.1. Savoir et sacré

Tout savoir qui vise à assurer cohérence cosmologique et cohésion sociale, et à lier l'une à l'autre, est religieux au sens que nous avons donné à ce terme au chapitre précédent. Fondamentalement, en tant qu'élément de ce qui fait lien, en tant que quête du sens, le savoir ne se distingue pas plus du politique que du sacré. Sacré, politique et savoir sont donc aussi nécessaires les uns aux autres que le Père, le Fils et le Saint-Esprit à la Trinité, et tout ce que nous avons dit des deux premiers s'applique au troisième. Envisagé du point de vue des rapports de force, le savoir, quels que soient sa forme et son nom (récit, mythe, dogme, calcul, explication, nomenclature, etc.), est dans la même relation au pouvoir que la religion : aussi nécessaire et manipulable qu'elle. Il n'y aurait donc rien de plus à en dire.

Il n'y aurait en effet pas grand-chose à en dire de plus, s'il n'existait malgré tout trois bonnes raisons, au moins, de faire la distinction entre savoir et religion. La première tient à ce que, très tôt dans la plupart des États de l'Antiquité, il s'est constitué au sein du religieux un noyau de connaissances réservées à une élite spécialisée : prêtres, devins, scribes, clercs. Connaissances secrètes ou simplement inatteignables pour le commun des mortels sans une longue initiation, ne serait-ce que l'apprentissage de l'écriture. Le critère qui permettrait ici de distinguer le savoir du religieux relèverait non pas de leurs fonctions, par définition identiques à l'origine, mais de leur accessibilité. Le savoir serait cette part ou cette qualité du religieux qui reste hors de portée des masses. Ce que les masses *croient*, les initiés le *savent*. À noter que cette distinction demeure *mutatis mutandis* jusque dans notre science à nous, qui révèle par là sous un autre jour ce qu'elle conserve de sacré : ne sommes-nous pas obligés de croire plus ou moins aveuglément ce que savent les savants ? Leurs querelles sont-elles plus accessibles au commun d'aujourd'hui que jadis les disputes des théologiens ? N'aurait changé, à cet égard, que la multiplication des disciplines (ou des Églises) : beaucoup plus nombreux et d'appartenances très diverses, les « prêtres » de la science contemporaine ne parlent pas tous le même langage et souvent ne se comprennent pas d'une chapelle à l'autre.

Mais il y a, de l'Antiquité à nous, un autre changement, et de taille celui-là : le statut et la puissance de la technique. Avec la technique nous venons d'introduire une deuxième raison de ne pas assimiler entièrement le savoir au religieux. Dans presque toute société, se développent en marge du religieux, sans relation nécessaire avec lui, pour les besoins de la vie quotidienne, des pratiques, des savoir-faire, des arts (au sens premier), des procédés. Au moment de leur apparition, ces techniques peuvent évidemment être reliées à des rites (rites de la chasse, de la pêche, de la récolte, du sacrifice, etc.), à ce que nous appelons « magie » ou « sorcellerie ». Mais avec la montée des civilisations postérieures à la « révolution néolithique », avec la différenciation sociale qu'entraîne l'apparition des villes, les arts et métiers prennent une autonomie croissante par rapport au savoir politico-religieux, même si leur développement ne laisse pas le pouvoir indifférent. Il existe d'ailleurs toute une histoire des techniques largement indépendante jusque très récemment (deux siècles à peine) de l'histoire des sciences.

La troisième raison qui nous incite à distinguer le savoir du religieux est à la fois plus significative et beaucoup plus difficile à cerner : elle est liée à ce qu'on appelle non sans simplification la « naissance de la philosophie », que, nous le savons, l'histoire *occidentale* de la pensée a pris l'habitude de situer chez les Grecs quelque part entre le VIe et le Ve siècle avant l'ère chrétienne. Nous avons vu au chapitre précédent que cette dichotomie entre le religieux et le philosophique n'est jamais aussi claire qu'on voudrait le croire ; il y a presque immanquablement de l'un dans l'autre (et vice-versa), aussi longtemps du moins que la philosophie n'abandonne pas le champ de la métaphysique, c'est-à-dire la question de l'être. Dans cette quête de l'être, néanmoins, l'esprit philosophique tend à questionner plutôt qu'à expliquer. Dans la mesure où ce questionnement déroute, déstabilise, défait les certitudes plutôt que de les forger, il n'est plus tout à fait religieux : il ne cherche plus à tout prix à faire sens. Cela dit, la plupart des philosophes (en Grèce comme ailleurs) n'ont pas su s'en tenir aux questions, ils n'ont pas accepté l'incertitude, le manque – béance insupportable dans laquelle on peut déceler la motivation profonde de tous les systèmes. En ce qu'ils ne pouvaient laisser sans réponses leurs interrogations métaphysiques, ces philosophes sont restés religieux, certains malgré eux, d'autres en pleine connaissance de cause.

Il n'empêche que, par ses interrogations incessantes, la philosophie exerce l'esprit à une spéculation et à une observation qui se veulent rationnelles, détachées par moments de toute finalité cosmologique ou sociale. Un des plus beaux exemples de cette curiosité d'esprit nous est offert par Aristote, aux yeux de qui « l'homme a naturellement la passion de connaître ». Pour lui, la compréhension scientifique des choses est un privilège qui nous donne plus entièrement, plus profondément accès à leur beauté, c'est-à-dire au principe divin dont elles procèdent toutes (*Métaphysique*, 980 a - 983 a). Sans doute, en ce qu'il témoigne de Dieu, « cause et principe des choses », le savoir aristotélicien reste religieux, et c'est à tort qu'on ferait de lui l'ancêtre de notre positivisme utilitariste et productiviste. Aristote ne vise à aucune maîtrise de la nature mais à sa découverte, et ce que cette découverte peut avoir d'utilitariste se déploie sur les plans éthique et esthétique : il ne s'agit pas d'en tirer un profit matériel mais, en apprenant la beauté du monde et la vérité des choses, de se rapprocher du Bien et de conduire notre vie en conséquence.

Si l'on tient néanmoins à voir en Aristote un « précurseur » de notre esprit scientifique moderne, nous dirions que la « modernité » de sa démarche réside probablement en ce qu'aucune vérité, hormis celle de Dieu, hormis celle de l'être, n'est donnée d'avance. Chaque pas vers le vrai est le produit d'une observation attentive, d'un effort ordonné de la pensée. Et même si la vérité reste bien au-dessus de lui, « l'homme se manquerait à lui-même, s'il ne cherchait pas la science qu'il peut atteindre » (982 b *in fine*) ; et il ne saurait renoncer par respect religieux à une entreprise dont il est déraisonnable de croire que les dieux puissent être jaloux. Le soin que prend le philosophe à réfuter cet argument religieux contre la science est révélateur : la recherche désintéressée qu'il préconise, à son époque, *ne va pas de soi*. Pour peu qu'on y réfléchisse, on verra que cette méfiance envers la gratuité du savoir est vraie pour presque tous les temps, y compris le nôtre : non seulement les savants indépendants ont souvent eu maille à partir avec l'Église ou avec le pouvoir, mais encore la « science pure », de nos jours, n'est financée qu'en raison des profits matériels qui, bien qu'imprévisibles, sont susceptibles d'en découler un jour ou l'autre. Les exigences de notre déesse économie sont plus difficiles à éviter que la jalousie prêtée par les poètes aux dieux de la Grèce.

À l'égard de ces derniers, Épicure, ici plus osé qu'Aristote, situe le savoir dans un détachement quasi souverain. Les dieux ne s'occupent pas des hommes et il n'y a rien à en attendre ; il suffit de les honorer et de prendre exemple sur eux. La science n'a donc rien à voir avec eux. Elle n'en joue pas moins un rôle très important : nous libérer de la peur. Seul l'inconnu agite les craintes qui nous privent des plaisirs de la vie, parmi lesquels celui de connaître n'est pas le moindre. Quant à la mort, la réflexion philosophique nous enseigne qu'elle n'est pas à craindre puisqu'elle nous enlève toute sensation et que, loin de nous affliger, sa perspective nous rend plus précieux l'éphémère de notre existence. Si brève soit cette dernière, néanmoins, elle nous permet, en méditant, de goûter à l'impérissable et de vivre « comme un dieu parmi les hommes » (*Lettre à Ménécée*, 124 -135). Très éloignée de nos préoccupations, la sagesse épicurienne (qui n'a pas grand-chose à voir avec l'hédonisme superficiel qu'on nomme parfois « épicurisme ») n'est sans doute pas typique non plus de son époque. Elle nous intéresse pourtant ici en ce qu'elle dessine une conception sinon peu religieuse du moins apolitique du savoir. Bref, Aristote et Épicure indiquent, chacun à sa façon, que quelque chose du savoir philosophique de la Grèce antique échappe à la finalité du sacré, à la symbolique de la cité et aux visées du pouvoir.

Mais ce n'est pas tout : cette prise de distance que le savoir opère par rapport au religieux, sans nier ni minimiser l'importance de ce dernier, permet à la philosophie grecque d'articuler une véritable critique du politique ; critique sans précédent par son ampleur et son acuité dans l'aire des civilisations est-méditerranéennes et dont l'influence théorique, avec des hauts et des bas, traverse toute la pensée politique de la Méditerranée et de l'Europe jusqu'à nos jours ; critique, enfin, dont la leçon pratique (morale) reste inouïe.

1.2. La critique platonicienne du politique

Aristote, arpenteur infatigable de presque tous les domaines du savoir, a passé en revue la plupart des régimes et constitutions de son temps dans l'espace géographique qui était à sa portée. Bien que l'étude visant à établir les conditions du meilleur gouvernement (tant du point de vue des gouvernés que de celui des gouvernants) soit à ses yeux une des plus hautes préoccupations de la philosophie, puisque le plein épanouissement de l'homme libre ne se réalise que dans et par la cité, Aristote se montre plutôt pragmatique et prudemment normatif dans son approche du politique. Si la cité, forme politique déjà nettement en déclin de son vivant, demeure incontestablement son idéal, il n'existe pas pour lui de forme idéale de la cité. Certes, les différents régimes peuvent faire l'objet d'une classification qui permettra, entre autres choses, d'en séparer les formes « droites » des formes « perverties », mais jamais de déterminer concrètement quel sera le meilleur régime dans chaque cas. Ce choix dépend de la situation, des circonstances et des possibilités. Dans les conseils que le philosophe peut donner au législateur, fussent-ils l'un et l'autre les plus épris de justice, ce n'est pas la science des choses universelles qui prédomine, mais la considération réfléchie du particulier, la prudence attentive et raisonnée en acte (*phronèsis*). En cela, Aristote paraît passablement éloigné de celui qui a si puissamment contribué à le former : Platon, chez qui l'on trouve l'une des critiques du politique les plus profondes qui soient.

Attaché à l'étude de la réalité sensible autant qu'à la compréhension des fondements et des principes, Aristote ébauche une sociologie politique dans laquelle le savoir occupe à l'égard du pouvoir une position qui nous est familière : la position classique du chercheur à distance de son objet. Platon, plus curieux des vérités immuables de l'univers intelligible que des fluctuations incessantes du monde sensible, adopte au contraire une démarche à nos yeux déroutante, où l'objet et le sujet du savoir logent en quelque sorte à la même enseigne. La relation savoir–pouvoir, dans *La République*, ne peut se ramener à la relation « normale » du sujet étudiant à l'objet étudié – que celui-ci se nomme « cité », « politique » ou « pouvoir ». Non pas seulement parce que pour Platon, comme pour Aristote d'ailleurs, le savoir est nécessaire à l'élaboration d'une bonne constitution et à l'exercice du gouvernement, mais parce que le savoir – plus exactement un certain savoir – est lui-même l'objectif que se proposent, ou devraient se proposer, les magistrats. Le savoir est à la fois la fin et le moyen de la cité idéale, où le pouvoir se trouve ainsi doublement légitimé. Cette position politique du savoir particulière à Platon, dont l'audace et l'importance restent souvent mal comprises, mérite un petit détour par *La République*.

Si, dans *La République,* Platon se contentait de nous offrir le modèle de la meilleure constitution possible, cet ouvrage aurait depuis longtemps cessé de nous fasciner, et l'on ne s'évertuerait pas de génération en génération à en faire une nouvelle lecture. Il s'agit bien néanmoins pour Socrate d'y faire le portrait de la cité idéale, non pas comme on tracerait les plans d'une maison à construire, mais plutôt comme on monterait une scène. La cité platonicienne permet la mise en scène du thème central de tout le dialogue : la justice. Nul doute, pourtant, que cette cité ne corresponde au vœu le plus cher du philosophe ; nul doute que, s'il l'avait cru possible (et à supposé qu'on lui en eût donné les moyens), il aurait essayé de l'instituer. Mais là n'est pas la vraie question ; possible ou impossible, sa cité ? tel n'est justement pas l'enjeu. Maints passages laissent entendre, de l'aveu même de son architecte, que le rêve est irréalisable, que sa mise en œuvre soulèverait des obstacles insurmontables. Et si Platon persiste malgré tout à l'ébaucher, c'est qu'il a une autre fonction, une fonction *dans le dialogue* plutôt que dans le réel : faire comprendre l'énormité de la difficulté du concept cardinal de *justice*.

Le thème est donc la justice. Mais la justice n'est pas quelque chose qui se laisse simplement définir. Tout le premier livre de *La République* – axé sur la question de savoir si l'on peut vivre heureux en exerçant le pouvoir à son profit dans l'injustice et l'impunité – mène à la constatation que les protagonistes, qui dissertent à l'envi de la justice, ne savent pas de quoi ils parlent. Or, l'enjeu n'est rien de moins que la possibilité ou l'impossibilité d'être en accord avec soi-même. Comment prétendre à la cohérence sans savoir distinguer le juste de l'injuste ? Il y va en fin de compte de « la manière dont il faut conduire notre vie » (I, 352 d). C'est à partir de cette préoccupation axiale qu'on peut suivre la trame du dialogue et comprendre la fonction de l'analogie que le meneur de jeu (Socrate) tisse entre l'âme et la cité, la seconde étant l'allégorie de la première. Cette transposition ne se justifie pas seulement de ce que la cité est la projection macroscopique où l'on peut lire en gros caractères ce qu'on a beaucoup de peine à déchiffrer dans l'âme ; elle illustre aussi l'identité fondamentale de la cohérence ou harmonie à laquelle l'homme juste aspire tant en soi que dans la cité – à une époque où, rappelons-le, vie publique et vie privée, politique et éthique sont indissociables.

Dans l'âme comme dans la cité, la justice apparaît, au fil d'un débat riche en rebondissements, non comme une vertu qu'on pourrait ériger sur un piédestal mais comme un équilibre, mieux, comme une tension équilibrée entre plusieurs qualités dont chacune, laissée à elle-même, demeure insuffisante ou se révèle dangereuse. C'est le cas de l'impétuosité, désastreuse sans la sagesse, laquelle à son tour a besoin de la première pour triompher ; mais, même conjointes, elles ne feront rien de solide si elles ne s'entendent pas sur leur place respective, si chacune outrepasse le rôle qui est le sien, ou encore si l'une ou l'autre se laisse asservir par la frénésie des sens ou par la cupidité. À chaque fonction de l'âme correspond dans la cité un groupe social investi d'une tâche spécifique : tandis que le peuple des paysans, artisans et marchands vaque à ses affaires dans la tempérance et s'enrichit sans excès, les gardiens veillent vaillamment à la sécurité commune sans avoir à se soucier de gagner leur vie et les sages, plus détachés encore des biens de ce monde, gouvernent. À chaque échelon de l'âme-cité correspond aussi un savoir (ou un ensemble de savoirs) particulier : au plus bas, les techniques, les arts et métiers ; au milieu, l'art de la guerre ; et au sommet, la connaissance, la philosophie, sans le règne de laquelle il n'est pas de bon gouvernement. *C'est l'amour infatigable de la sagesse et lui seul,* donc libéré des convoitises matérielles et honorifiques, *qui autorise le philosophe à gouverner.* Voilà ici ce qui importe. De même, chez le juste, c'est la passion pour la beauté immortelle du monde intelligible qui a le plus de prix, bien que la raison reconnaisse l'importance des autres fonctions de l'âme et veille à se maintenir en harmonie avec elles. En définitive, la justice, ou l'accord avec soi-même, tire sa valeur de ce qu'elle permet à la pensée d'accéder aux beautés suprêmes de l'être sans négliger les dures réalités ni mépriser les biens matériels du monde sensible.

Ainsi l'exercice du pouvoir se justifie-t-il en autant qu'il permet à la cité de s'épanouir de manière à permettre aux âmes qui l'habitent de conduire leur vie sur le chemin de la connaissance et de ne pas manquer de cueillir le fruit le plus précieux de leur passage sur terre. Tâche politiquement impossible, que, faute de pouvoir accomplir à l'échelle de la cité, les philosophes se contenteront de poursuivre pour eux-mêmes et pour leurs amis – si nécessaire, à l'écart de la vie publique. Entreprise elle-même ardue, dont la célèbre allégorie de la caverne, qui montre l'humanité enchaînée devant les simulacres de son savoir, illustre toute la difficulté : nous libérer des illusions auxquelles nous sommes attachés fait mal ; sortir de l'antre, affronter le soleil de la vérité est une épreuve presque insupportable, qui exige un long apprentissage. Retourner dans l'ombre vers les mensonges de la caverne pour délivrer nos semblables est une expérience plus cruelle encore : ceux qui demeurent gouvernés par les erreurs de l'opinion ne voudront pas croire ceux qui reviennent éblouis de la vérité, et ces derniers, ridiculisés, taxés de rêveurs, se décourageront de la dire, cesseront peut-être d'y croire et n'auront plus le courage de refaire le pénible chemin hors de l'obscurité.

La République met en scène, à travers la question de la justice, la tragédie du savoir dans la cité : la mission politique que Platon assigne à la philosophie n'est pas réalisable. Cette tragédie n'en désigne pas moins un ordre idéal au regard duquel aucun pouvoir, sous quelque forme que ce soit (démocratie, oligarchie, monarchie, etc.), n'a de véritable légitimité. Indépendamment de ce que les préceptes platoniciens peuvent contenir de détestable à nos yeux dans leur excès d'autoritarisme, il y a chez Platon l'expression presque désespérée d'une norme générale qui place la connaissance et l'amour de la sagesse au-dessus de tout pouvoir. Norme virtuelle, inatteignable, il faut le redire, mais qui n'en inverse pas moins le rapport habituel du savoir au pouvoir selon lequel le premier, jusque dans sa dimension critique, est au service du second. L'étonnant apport de Platon, à ce chapitre, n'est pas d'avoir étudié le pouvoir et critiqué les formes de gouvernement – chose qu'Aristote a faite mieux que lui —, c'est d'avoir dit avec une force de persuasion rare dans la pensée politique que le pouvoir n'a d'autre légitimité, à la limite, que d'être au service de la connaissance et de la beauté. Une connaissance qui n'est pas somme de savoirs, mais d'abord et avant tout étonnement devant l'insu, devant le non-savoir de toujours. Car c'est devant ce manque que se dresse encore aujourd'hui la question de tout savoir.

Quant au savoir particulier qui a trait au politique et au pouvoir – pouvoir auquel nous sommes tous si enclins et si encouragés à nous identifier, même lorsque, mécontents de nos gouvernements, nous nous donnons l'illusion d'en changer –, quant à ce savoir-là, nous savons désormais qu'il existe à son égard une critique radicale qui a traversé l'histoire sans un pli et dont la portée demeure toujours en suspens. Aussi les réflexions que nous avons à faire ici sur les rapports entre savoir et pouvoir ne peuvent-elles, quant à nous, se poursuivre qu'à la lumière des exigences platoniciennes dont nous venons de faire état.

2. Le pouvoir de la raison instrumentale

2.1. Savoir, raison et croyance

Que la pensée politique de Platon ait traversé l'histoire sans un pli peut s'entendre de deux façons : premièrement qu'elle n'a pas pris de ride ; deuxièmement qu'elle n'a pas laissé de marque dans les institutions. Si la première assertion est acceptable, la seconde contredit l'idée que nous nous faisons de l'évolution du savoir et de l'influence que la philosophie ancienne a exercée sur cette évolution, à partir du moins de la Renaissance. Nous retrouvons ici le schéma indélébile de notre histoire, appliqué cette fois au domaine du savoir : bien entendu, tout au long du Moyen Âge le savoir marche main dans la main avec l'Église et le pouvoir. Mais la Renaissance accomplit justement une première « rupture» de cette dépendance en « renouant » avec la pensée antique : après de longs siècles d'« obscurantisme intellectuel », le savoir commence enfin à « s'émanciper » de la scolastique religieuse. Cette vision de la marche du savoir qui consiste à le montrer s'émancipant de toute croyance est aussi simpliste que celle qui prédomine dans l'histoire du sentiment religieux, histoire dont elle ne représente d'ailleurs qu'un simple corollaire.

Les liens dont nous avons d'emblée souligné l'importance entre le savoir et le religieux (au début de ce chapitre et déjà à la fin du chapitre précédent), existent de tout temps, y compris chez Platon, dont la pensée ne tient pas sans la croyance en l'immortalité de l'âme. De ces liens, change surtout la forme, avec les illusions que ces changements peuvent entraîner. De ce qu'elle était ouvertement religieuse, la pensée du Moyen Âge n'était pas *ipso facto* moins libre, moins inventive, moins riche que la pensée moderne ; laquelle à son tour n'est pas moins sujette à se tromper de ce qu'elle s'imagine libérée, dégagée de tout préjugé et de toute autorité. En instaurant le pouvoir de la raison, cette pensée a en effet créé un imaginaire du savoir à maints égards étriqué dont l'appauvrissement n'est pas sans conséquence politique.

Le pouvoir de la raison – en tant surtout que cette raison n'est pas encore qualifiée – peut évidemment manger à tous les rateliers de la pensée. Il trouvera sans peine une part de sa pitance chez Aristote et chez son plus grand disciple catholique, Thomas d'Aquin. En fouillant un peu, et au prix de quelques charcutages, ce pouvoir dénichera aussi de quoi se sustanter dans certaines parties de l'œuvre de Platon. Mais l'« autorité » de Platon restera toujours de maniement délicat : sa dialectique risque à tout moment de nous sauter au visage. Non pas seulement de ce que la transcendance planerait sur toute son œuvre comme un soleil découpant partout l'ombre limite de nos savoirs, mais surtout du fait que les incessantes interrogations, incertitudes, remises en cause de Socrate nous rappellent à tout bout de discussion que nous n'avons sans doute pas quitté la caverne et que la lumière que nous attribuons au soleil n'est probablement que le maigre feu de fortune devant lequel passent les simulacres dont les projections nous tiennent lieu de réalité.

Si donc la pensée moderne prend son souffle à la Renaissance en renouant avec l'Antiquité, elle se donne là des origines pour le moins contradictoires : cette pensée ne peut intégrer la philosophie de Platon, et même celle d'Aristote, qu'au prix d'oblitérations et de distorsions majeures, dont la plus importante serait d'imaginer que ces grands philosophes pensaient en dehors de toute croyance. Mais les premiers modernes eux-mêmes ont-ils réellement cru trouver le soleil de la vérité en séparant la foi de la raison ? Descartes se croyait-il sorti de la caverne ou savait-il y avoir seulement allumé un feu plus puissant ? Une chose est sûre, quant au philosophe du doute méthodique : il a fondé le principe de certitude dans le miroir intime du sujet pensant. Reste à savoir dans quelle mesure il eut besoin de Dieu pour y parvenir. Dieu est-il nécessaire à la vérité ou n'intervient-il que comme moment pour donner un coup de pouce au *cogito* (célèbre reproche pascalien au discours cartésien) ? Dans un cas comme dans l'autre, et c'est sans doute la grande leçon qu'il nous laisse, Descartes bande toutes ses forces à maintenir physique et métaphysique dans le même et unique arc de vérité. Quel que soit le statut de Dieu dans cette entreprise, l'effort même de la pensée cartésienne pour s'arracher au gouffre, près duquel elle s'avance comme peu d'autres, témoigne que, pour elle, il n'y a pas de science qui vaille sans vérité transcendante. En cela Descartes ne diffère pas de Platon. Différence il y a pourtant, et de taille : chez Descartes, c'est la seule raison qui se donne à elle-même cette vérité supérieure, alors que Platon finit toujours par recourir au mythe lorsqu'il s'agit d'accéder aux vérités dernières. L'auto-institution de la vérité par la raison cartésienne ne va évidemment pas sans conséquence en ce qu'elle ouvre la voie à l'autonomie de la science, et peu importe à cet égard que Descartes, personnellement, croie ou non au Dieu de la Bible.

2.2. La double césure kantienne

Peut-on encore, en effet, parler de transcendance si celle-ci est tout « intérieure » ? Même question « inversée » : Y a-t-il encore Dieu s'il se confond, comme chez Spinoza, avec la vie et qu'il englobe tout ce qui est ? Questions gênantes. Questions inutiles, tranche Kant. Kant tranche, en effet, en séparant radicalement ce que Descartes entendait ou paraissait vouloir maintenir uni : physique et métaphysique. Descartes cherchait à ancrer les sciences expérimentales dans la transcendance, Kant les en détache ; plus exactement, il légitime une autonomie qu'elles avaient déjà commencé de prendre. C'est sans doute le plus grand coup de force de la philosophie occidentale moderne. Platon est renversé, pour qui les seules vérités solides appartiennent au monde intelligible et immuable des Idées (ou Formes). Les Idées sont ce vers quoi la science platonicienne tend, elles constituent l'objet et le fondement de la connaissance vraie ; le reste, les phénomènes du monde sensible, ne relève pas de la science mais de l'opinion : celle-ci peut à l'occasion se révéler juste, mais sa vérité demeure aléatoire, circonstancielle. Kant retourne la vision platonicienne comme une peau de lapin : le monde en soi, les *noumènes,* nous demeure à jamais inconnaissable, et la seule réalité dont la science puisse s'occuper, ce sont les choses telles que nous les percevons ou *phénomènes*.

L'argumentation de Kant est imparable : nous ne saurons jamais en fin de compte à quel degré de vérité notre pensée et nos observations peuvent atteindre. Mais la conséquence pratique de la position kantienne pour la science moderne est claire : ça n'a pas d'importance. La science n'a plus besoin de la Vérité, elle est à elle-même sa propre vérité en marche vers toujours plus de certitude. Il n'y a plus *en elle* de doute fondamental, lequel reste désormais enfermé dans la boîte étanche de la métaphysique ; il n'y a que de l'inconnu à ratisser et à ordonner avec les outils du savoir sous la gouverne de l'instrument suprême de la raison. Or, la raison, elle aussi et si haute soit-elle, n'a plus qu'elle-même devant elle ; elle devient à elle-même son propre miroir. Et chacun sait vers quelle déraison peut glisser un face à face spéculaire avec soi-même.

Aussi n'est-ce pas par hasard que l'abîme de la raison s'ouvre avec une violence jusqu'alors inouïe au moment où la philosophie et la politique (voir le chapitre 2) affirment ensemble, quoique différemment, son triomphe. Nul en son temps mieux que Sade ne fait voir ce vertige abyssal, crime qui fut et reste aujourd'hui le véritable objet de ses multiples condamnations. Devant le miroir de la raison, Sade ne flanche pas : il lui fait dire *tout* ce qu'il veut entendre. Sans autre légitimation qu'elle-même, la raison est en mesure de tout justifier, notamment le pire, ce à quoi le divin marquis s'emploie avec une éloquence intarissable.

Kant n'avait pas besoin de lire Sade pour savoir que la raison peut nous induire en erreur. Il prend donc bien soin de lui assigner des limites pratiques en énonçant sa fameuse *Loi fondamentale de la raison pure pratique* : « Agis de telle sorte que la maxime de ta volonté puisse toujours valoir en même temps comme principe d'une législation universelle » (*Critique de la raison pratique*, livre I, ch. I, 7). Formule puissante et ingénieuse qui commence par emporter la conviction mais qui, à la réflexion, laisse la raison intacte devant sa psyché. Comme Kant le dit si bien lui-même : « Pour que la raison puisse donner des lois, il faut qu'elle ait simplement besoin de se supposer *elle-même*, parce que la règle n'est objective et n'a valeur universelle que si elle est valable sans aucune des conditions subjectives accidentelles qui distinguent un être raisonnable d'un autre » (*ibid.*,I, I, 2). La raison ne vaut décidément que par et pour elle-même, tautologie grâce à laquelle les gens raisonnables auront à leur tour tôt fait de se reconnaître entre eux. Finalement la « raison » de la loi morale est simple : elle s'impose parce qu'elle est nécessaire. Et comme pour conjurer les effets de son coup de force philosophique, Kant précise : « [...] on n'aurait jamais eu l'audace d'introduire la liberté dans la science, si la loi morale et avec elle la raison pratique n'étaient intervenues et ne nous avaient imposé ce concept [de liberté] » (*ibid.*,I, I, 6).

Kant en arrive ainsi au paradoxe suivant : les limites qu'il impose à la raison pure spéculative (qui perd donc son temps à spéculer sur ce qu'elle ne peut connaître) donnent toute liberté à la science des phénomènes, tandis que le concept de liberté fonde l'absolu de la raison pure pratique et donne « consistance » et « réalité objective » aux autres concepts, tels « Dieu » et « immortalité », « qui, comme simples idées, demeurent sans support dans la raison spéculative » (*ibid.*, Préface, § 3). Si Dieu ne fonde plus, comme chez Descartes, la vérité scientifique, il reste le garant de la loi morale à travers laquelle il se manifeste. Et pour cause : cette divine caution permet de donner à la raison pratique (à la loi morale) le caractère absolu auquel la raison spéculative ne saurait prétendre. La science peut bien faire ce qu'elle veut, même aller au diable, pourvu que dans la pratique puissent se retrouver les gens raisonnables ; c'est-à-dire *des gens dont les raisons se ressemblent*, des gens qui se reconnaissent à la trame de leurs discours respectifs (les discours ne peuvent réellement se rencontrer et s'affronter que s'ils se déroulent sur le même plan).

La critique kantienne des raisons spéculative et pratique, on s'en doute, ne se laisse pas simplement résumer ; elle exigerait une analyse beaucoup plus fine. La lecture attentive de *La critique de la raison pure* constitue en effet un excellent apprentissage épistémologique. De même, *La critique de la raison pratique* offre une base rigoureuse à toute réflexion normative sur la société, à condition, nous venons de le voir, qu'elle se déploie dans le champ d'une seule et même culture. Nos raccourcis ne prétendent donc pas rendre justice à la richesse de la pensée kantienne. Néanmoins, l'examen de ses prémisses suffit à constater que cette pensée n'est possible qu'au prix d'une double coupure épistémologique : celle qui, isolant la science de la transcendance, la sépare du même coup de la loi morale. Et ce sont les implications de cette rupture qui nous intéressent ici.

Si la première césure (science/transcendance) paraît ouvertement assumée, la seconde (science/loi morale) reste implicite, voire refoulée. Par la supériorité naturelle que lui confère son lien avec Dieu, la loi morale l'emporte logiquement sur la science dès le moment où elles entrent en conflit l'une avec l'autre. Et l'on remarquera que c'est toujours en ces termes que l'on pose encore aujourd'hui la question de la responsabilité « morale » du savant : que ce soit pour dire que le chercheur doit avoir une « éthique » de sa recherche (tant dans ses finalités que dans ses méthodes) ; que ce soit au contraire pour l'exonérer d'avance, au nom de la curiosité scientifique, de toute responsabilité morale. Or, il est assez patent qu'aucune surveillance, qu'elle soit exercée de l'intérieur ou de l'extérieur de la science, n'offre aujourd'hui de solution satisfaisante à cette question : dans un cas comme dans l'autre, on risque de brimer la liberté de recherche ou de placer la société devant le fait accompli, auquel celle-ci n'aura d'autre choix que de s'adapter.

Cette impasse montre notamment que la morale n'est pas une instance séparée du mode de savoir susceptible de coiffer et de guider la science, pas plus que cette dernière ne peut se donner une éthique à la pièce, variant au coup par coup, à mesure que les problèmes « moraux » se présentent sur son chemin. Bien sûr, dans la vie scientifique de tous les jours, cette éthique à la petite semaine va son train dans la confusion que l'on sait et alimente à l'occasion les médias, mais elle ne fait que masquer la question de fond. Cette question porte sur la nature de notre savoir moderne, sur la portée de l'avènement du pouvoir de la raison scientifique, qui s'affirme essentiellement comme une raison causale ou efficiente.

2.3. La puissance de la causalité

Malgré l'indétermination qui marque depuis quelques décennies certains domaines de pointe comme la physique quantique, et bien que nous nous soyons en partie détachés du déterminisme et du positivisme du siècle dernier, notre savoir scientifique moderne se caractérise encore, dans sa grande masse, par la causalité. Dans les sciences dites de la nature (physique, chimie, biologie, etc.), qui servent souvent de modèles de rigueur pour toutes les autres, la *cause efficiente* reste maîtresse. Cette cause mérite bien son nom, non seulement puisqu'elle produit un effet qu'on explique par elle, mais aussi de ce qu'elle a une efficacité productrice, au sens où l'on utilise sa découverte pour produire, aspect sur lequel nous reviendrons plus bas. Pour le moment, contentons-nous d'admettre que les sciences naturelles modernes n'auraient pas progressé sans la causalité, et précisons qu'il n'est pas question de suggérer ici qu'elles auraient pu ou dû s'en passer (une telle proposition serait tout simplement ridicule). En revanche, on ne peut ignorer que le progrès des sciences expérimentales a beaucoup contribué à l'avènement, voire à l'hégémonie de la raison causale dans tous les domaines du savoir, au point de répandre un peu partout ce qu'on pourrait appeler une « philosophie de l'efficience » qui, elle, doit être remise en question.

Ce questionnement commence par le concept même de cause. La cause est nécessairement en affinité avec ce qu'elle est censée causer et qu'elle éclaire de sa toute-puissance, à défaut de quoi elle cesse d'exister comme cause. Par définition, la cause explicative (ou « variable indépendante ») est toujours éclairante, car, comme l'a bien vu Pascal, « on trouve toujours obscure la chose qu'on veut prouver, et claire celle qu'on emploie à la preuve ». Essayons un instant de considérer comment la cause éclaire en oubliant l'efficacité de la science moderne et en la situant dans l'allégorie platonicienne du savoir : la cause serait ce qui projette les ombres dans la caverne ; à ceci près que, maintenant, c'est nous qui allumons le feu et faisons tourner la roue, nous aussi qui fabriquons les figurines fixées sur sa gente. Ce pourrait être une image du progrès : nous serions les artisans des figures ou simulacres de notre savoir. Voilà qui nous semble très difficile à accepter, peut-être parce qu'il y a là une évidence que sa trop grande proximité nous empêche de voir : la première cause de notre savoir, c'est nous, c'est le savant. Qui d'autre que nous, en effet, pourrait être le sujet de la science, dès lors que Dieu n'a plus rien à y voir, dès lors qu'elle ne révèle plus aucune vérité en soi ? Comme cette évidence est trop grosse pour nous et qu'il nous faut croire en l'objectivité de notre savoir, nous avons en quelque sorte remplacé Dieu par la causalité – ce qui n'empêche nullement le savant, individuellement, d'être croyant.

Dire que la causalité a remplacé Dieu n'est pas une simple clause de style. L'hégémonie de la causalité indique un glissement significatif par rapport à la position kantienne elle-même. Elle témoigne que la rupture de Kant entre phénomènes et noumènes reste incomprise : *on fait de la science comme si la science s'occupait de la chose en soi* – cette chose dont Kant dit justement qu'elle nous échappera toujours. De cette incompréhension, vient que la raison causale tend à se prendre pour *la* raison, même si cette raison se heurte sans cesse à ce qui la limite ; car elle considère cette limite comme ce qu'elle a précisément pour tâche de toujours repousser. Les savants européens de l'âge classique comme Galilée et Newton jugeaient que la vérité des lois qu'ils formulaient tenait à ce que ces lois ne concernaient chaque fois qu'un domaine rigoureusement limité de la nature. C'est cette vérité-là que les « conquêtes » de la science tendent à nous faire oublier en nous incitant à voir le monde comme l'objet d'un savoir qui fait constamment reculer les limites de notre ignorance, alors même qu'un moment de réflexion suffirait à nous faire admettre que l'océan de cette ignorance restera toujours infini autour de l'île de la science.

À vrai dire, nous savons bien que le prestige et la force de la science ne lui viennent pas de ce qu'elle nous permet de *comprendre*, qui est fort peu de choses, mais plutôt de ce qu'elle nous permet de *faire*, qui nous paraît souvent prodigieux. La puissance de la cause ne procède pas tant de sa capacité explicative – il n'y a pas en soi de raison pour que la tautologie causale soit plus convaincante que la tautologie divinatoire — que de sa capacité opérationnelle. L'expérimentation qui vérifie l'effectivité de la cause devient de ce fait un instrument de manipulation du réel, instrument rudimentaire d'abord, puis de plus en plus perfectionné qui augmente la panoplie des techniques. C'est par l'enchaînement des expérimentations et des nouvelles techniques, les unes suscitant la mise au point des autres et ces dernières s'ajoutant aux outils des premières pour ouvrir encore davantage le champ à l'investigation scientifique, c'est par cet enchaînement, donc, que se constitue ce que nous avons appelé la techno-science. Et l'inépuisable merveille de la techno-science, c'est que ça marche ! Sans doute celle-ci peut-elle être considérée comme l'expression d'une vérité latente, en germe dans l'univers, dont l'*homo faber* ne serait que l'agent révélateur, mais ce n'est pas de ce point de vue, philosophique, qu'on la considère ordinairement. Si la technique exprime une « vérité », au-delà de son efficacité et par cette efficacité même, c'est en ce qu'elle confirme ce qu'on appelle souvent sans y penser l'« objectivité » de la science. Sans y penser en effet, parce que si l'on y pensait, si l'objectivité voulait dire quelque chose, ce serait que la science n'est pas la science du sujet mais la science de l'objet même. À travers notre activité scientifique, ce serait donc bel et bien le monde qui se dévoilerait à lui-même. Mais cette révélation se ferait à notre insu, car dans le jargon ordinaire de la science, le concept d'objectivité ne renvoie pas au dévoilement mais à la neutralité du chercheur, à la rigueur de sa démarche, à la possibilité et à l'exactitude de la vérification, bref, au résultat.

La science donne des résultats. De plus en plus de résultats. Voilà le maître mot. Voilà le fait brut qui rend superflue ou décorative toute réflexion philosophique à son sujet. La raison scientifique peut contempler son pouvoir dans le miroir de la technologie ; la vue de son efficacité couvre en quelque sorte l'abîme de la tautologie causale. La cause est efficiente au plein sens du terme : de causale elle devient instrumentale ; elle permet de se concentrer sur le particulier, du moment que ce particulier, à travers le progrès technique, lui donne la preuve qu'elle fonctionne. Et c'est vrai qu'il y a dans le « Ça marche ! » une euphorie de la trouvaille, une joie semblable au « Euréka » d'Archimède. Ce n'est pas une des moindres forces de la technique qu'elle donne beaucoup de plaisir à produire indépendamment de son usage. Mais ce plaisir-là, dans sa gratuité, n'est pas non plus le plus important moteur de son développement. Si c'était le cas, nous serions dans un autre monde. La vraie force du « Ça marche ! », dans notre monde, c'est qu'il donne du pouvoir – ou du moins l'illusion du pouvoir.

2.4. Spécialisation et expertise dans les sciences humaines

La récompense que procurent les prouesses de la technique n'intervient toutefois que dans le domaine des sciences expérimentales. Le plaisir de la découverte existe aussi dans les sciences humaines, mais il y est aléatoire et éphémère, parce que les découvertes qu'on y fait trouvent rarement leur confirmation dans une expérimentation ou dans une technique correspondante. Ces sciences ne peuvent s'empêcher de lorgner avec envie les résultats des sciences expérimentales, qu'elles prennent, plus ou moins explicitement, comme modèles d'objectivité et de réussite. Si bien que les sciences humaines sont à leur tour dominées par la raison causale. Mais la cause pèse sur elles comme une malédiction, comme une maîtresse insatisfaite à laquelle elles ne pourront jamais donner une preuve assez grande de leur amour. Ce sentiment d'impuissance se traduit fréquemment par une crispation épistémologique qui brouille la question de la subjectivité. Faute de preuve quant à la validité de notre savoir, nous, chercheurs en sciences humaines, avons souvent plus de peine que nos collègues des sciences expérimentales à nous reconnaître comme sujets d'une science dont, circonstance aggravante, nous sommes aussi, plus ou moins indirectement, l'objet. Parce que nous sommes à la fois auteurs et cibles de notre discours et que cette confusion nous gêne, nous prenons un soin bien inutile à ne pas paraître mêlés à l'objet de notre investigation plutôt que de nous questionner sur notre curiosité, notre subjectivité de chercheurs. Comme si, devant le jugement d'Athéna, nous tremblions que nos sciences humaines ne s'avouent « trop humaines ».

C'est pourtant cette peur qui fait de notre savoir une fausse science, à laquelle nous nous évertuons par tous les moyens de conférer de la crédibilité. Un premier moyen, mais qui n'est pas à la portée de toutes les branches des sciences humaines, c'est de soumettre à la procédure d'expérimentation la plus vaste portion possible d'un champ de savoir, comme en psychologie. Cette méthode donne évidemment des résultats, dont l'interprétation et l'utilisation restent toutefois sujettes à caution. Un autre moyen de faire sérieux consiste à recourir aux modèles mathématiques et à quantifier le qualitatif, exercices captivants qui débouchent la plupart du temps sur des généralisations sans portée ou sur des constats semblables à ceux qui découlent de l'observation empirique. Ces démarches ont pour principal avantage de fournir matière à d'inépuisables débats méthodologiques. Mais ce sérieux-là reste marginal, et le principal moyen d'assurer la crédibilité des sciences humaines, c'est encore de multiplier les spécialisations et les disciplines. Celles-ci tendent naturellement à se constituer en bastions inexpugnables et à rendre leurs langages respectifs aussi fermés que possible les uns aux autres ; au point qu'on peut mesurer le caractère savant d'une discipline à son degré d'imperméabilité au sens commun. Cela dit, l'usage d'une terminologie de pointe ne représente pas une condition *sine qua non* de la spécialisation. La plupart d'entre nous bricolent leurs spécialités dans un jargon modérément perfectionné. L'essentiel reste ici la parcellisation des compétences. Peu importent la forme et le fondement, pourvu qu'il y ait expertise. En se rangeant, même avec énormément d'ambiguïté et de réticence, sous la bannière de la causalité efficiente, les sciences dites humaines lâchent la proie pour l'ombre. Elles négligent leur seule force virtuelle : la finalité. Elles oublient qu'elles sont d'abord des sciences morales. Le pourquoi des choses, à quoi bon prétendre l'« expliquer », si nous ne savons pas ce que nous désirons de la vie.

À l'efficacité de la technique répond ainsi la prolifération des jargons experts. Technologies et expertises constituent la masse des savoirs patentés où pouvoirs et contre-pouvoirs vont puiser les arguments qui leur conviennent. La raison technologique (ou instrumentale) et la raison experte, où l'on trouve toujours en bonne place la raison économique, sont aujourd'hui les voix les plus autorisées du savoir et se substituent de plus en plus fréquemment à la raison politique.

Cette substitution se manifeste très clairement dans le domaine de contestation par excellence que représente aujourd'hui l'écologie. La critique écologique est pourtant née d'une prise de conscience des menaces, réelles ou imaginaires, que notre mode de produire et nos logiques instrumentales font peser sur l'avenir de la planète. Malgré quoi cette discipline est elle-même traversée par un très fort courant techniciste qui veut guérir le monde avec les outils qui le ravagent. Ce courant va, pour reprendre l'expression de Michel Serres, vers « la maîtrise globale de nos maîtrises partielles ». Techniquement, le projet n'est peut-être pas impossible. Économiquement, il attire déjà maintes entreprises. Mais au reste, et en admettant que les conditions politiques planétaires s'y prêtent, il est à craindre que cette volonté de maîtrise ne fasse que reproduire à une échelle plus vaste et dans une mesure plus contraignante la raison instrumentale qui nous a menés dans les impasses d'où nous cherchons à sortir. Main dans la main avec l'économie et la technique, l'écologie pourrait bien devenir, dans un avenir plus ou moins lointain, la nouvelle idéologie totalitaire de notre temps. Pour le moment, il est vrai, ce courant technico-pratique de l'écologie se borne à emboîter le pas au totalitarisme de la production marchande. La « qualité de la vie » entre désormais dans la liste des produits disponibles sur le marché et fait de nous des consommateurs collectifs d'« environnement » et de « salubrité ».

Cette tendance ne présage rien de fameux. Au lieu de nous inciter à amorcer une réflexion radicale sur notre manière de vivre, sur notre manière de produire et de raisonner, les problèmes écologiques risquent tout simplement d'inscrire un nouvel inéluctable à nos agendas collectifs. Tout se passe déjà comme si nous étions pris entre deux déterminismes, celui du marché et celui du milieu, entre lesquels scientifiques et experts seraient constamment appelés à arbitrer. Dans cette hypothèse, la politique ne se limiterait plus qu'à la gestion plus ou moins honnête, plus ou moins crapuleuse de cet arbitrage. Ainsi, les préoccupations écologiques ne feraient que confirmer et renforcer l'instrumentalité de notre raison, la technicité de nos savoirs, la multiplication de nos expertises, à ceci près que s'instaurerait une spécialisation dans le global dont on voit déjà poindre le discours. Dans ce discours, la causalité est en passe d'atteindre un de ses sommets : la plupart des constats et recettes qui nous sont proposés pour remédier au danger écologique situent la technique *et* comme cause efficiente de la menace qu'il s'agit d'écarter *et* comme instrument pour renverser la vapeur. Ce discours causal arrose un terrain fertile, puisque nous ne demandons pas mieux que de nous rassurer à l'idée que nos problèmes sont vraiment écologiques, c'est-à-dire solubles par et dans la technique. L'écologie risque en effet de devenir la meilleure manière de masquer la principale et première question que fait surgir dans les consciences l'état de nos sociétés : « Comment vivre ? »

Comment vivre ? Comment vivre ensemble ? Telles sont les questions simples, difficiles, vraies que la plupart de nos savoirs recouvrent de leurs voix tonitruantes et contradictoires, tandis que se poursuit l'ainsi-de-suite économico-technique dont les plus puissants, les plus malins, les plus cyniques continuent de tirer profit, avec l'aide souvent désintéressée de nos meilleurs savants. Dans ces conditions, plus de politique, plus de lieu commun où réfléchir librement à notre destinée collective. En l'absence d'un tel lieu, cette réflexion s'inscrit dans un réseau de nécessités qui tend à étouffer les ramifications plus fragiles de nos désirs. Si cet étouffement achève son œuvre, nos sociétés n'auront plus grand-chose à envier aux termitières. La termitière reste néanmoins improbable à l'échelle du monde. Il y aura toujours des bâtons (de dynamite) pour la déranger. Nous avons beau utiliser toute notre science à ronger nos désirs, ceux-ci (les nôtres comme ceux des autres) renaissent obstinément, parfois sous forme de frustrations, de révoltes et de violences pas forcément belles à voir mais peut-être salutaires. Et pour que ces sursauts de dignité ne soient pas vains, pour qu'ils ne se noient pas dans le sang ou dans la lassitude, il est important que nous nous réappropriions le politique comme lieu d'apprentissage et de confrontation intelligente de nos désirs contradictoires. Aucun de nos savoirs ne nous aidera à vivre si nous persistons à les déployer dans l'ignorance de nos véritables désirs et que nous continuons à confondre ces derniers avec les ombres de la caverne.

Sans prétendre qu'il soit possible de sortir de la caverne, on peut légitimement se demander si la passion de connaître est vraiment à l'ordre du jour dans les casernes du savoir institué. La vénération qu'on y porte à la déesse science croît en fonction de la puissance qu'elle procure. Ce que nous adorons n'est pas la science elle-même mais l'aura qu'elle confère, mais la technologie (discours et chose) dont se servent tous les pouvoirs, aussi bien politiques qu'économiques ; technologie dont ils usent notamment pour rejeter hors du savoir autorisé, hors du savoir qui compte (économiquement, professionnellement, politiquement) celles et ceux qui n'entrent pas dans son discours. La science ne saurait devenir aujourd'hui un outil de libération qu'en s'émancipant elle-même, chaque fois qu'elle le peut, des puissances qui l'asservissent, des pouvoirs qui la programment, des institutions qui la mettent en boîte et la dispensent. Efforts constants, difficiles, parfois coûteux, mais toujours enrichissants de celles et ceux pour qui la recherche et la réflexion sont d'abord une source inépuisable de plaisir – et malheureusement dans nos sociétés un privilège rare —, un hommage à l'étrangeté du monde, plutôt qu'un outil de promotion ou un instrument de pouvoir. Ruses du désir de comprendre que les mailles des filets du pouvoir et de l'accumulation ne parviendront jamais à toutes saisir.

Reste à savoir si, dans l'expression de ce désir de comprendre et de ne pas voir périr complètement le politique, celles et ceux qu'on appelle souvent admirativement ou ironiquement les « intellectuels » ont un rôle particulier à jouer.

3. Le rôle politique des intellectuels

La définition du rôle politique des intellectuels est une entreprise ambiguë du moment que l'intellectuel est nécessairement amené à se définir lui-même dans l'effort qu'il fait pour convaincre autrui de sa nécessité et de sa spécificité. Deux choses qui ne vont pas de soi ni forcément ensemble. Si l'intellectuel est une personne qui utilise davantage son cerveau que ses mains – à supposer qu'on puisse utiliser les secondes sans le premier –, il est évidemment très nécessaire et appartient à une catégorie qui dans nos sociétés comprend plus de la moitié de la population active. Mais il ne joue alors aucun rôle spécifique, et sa catégorie n'a plus de raison d'être. Il se peut en effet que l'intellectuel n'existe pas et que nous soyons vis-à-vis de lui pris au piège d'un concept historique étroitement limité dans le temps et l'espace et qui n'aurait aucune portée générale. Néanmoins, dans la plupart des sociétés occidentales aujourd'hui, on parle communément des intellectuels comme d'un groupe assez restreint et spécifique dont la société aurait grand besoin ou dont au contraire elle peut allègrement se passer. La première spécificité de l'intellectuel serait alors de susciter par sa parole la controverse quant à son rôle et quant à sa nécessité. Ce qui le distingue d'emblée du prêtre, du scribe, du clerc, de l'administrateur, de l'ingénieur, du savant et de l'expert, dont il ne viendrait à l'idée de personne de contester l'utilité.

L'intellectuel est donc quelqu'un dont la prétention à la parole publique est sujette à contestation, notamment de ce que cette parole ne se réclame d'aucun savoir en particulier. Quel titre reconnaître en effet à quiconque estime avoir des choses à dire publiquement à partir d'une raison non spécialisée et sans invoquer de compétence précise ? On admettra pourtant sans peine qu'une grande artiste, qu'un écrivain reconnu s'autorise à prendre publiquement parole et position sur les grands problèmes de la société, qu'on soit ou non d'accord avec son discours. De façon générale, dès qu'une personne atteint la notoriété, à un titre ou à un autre, elle devient par là même « publique » : tout ce qu'elle pourra dire méritera considération, sera digne de susciter approbation ou controverse. Ce sera notamment le cas des personnages politiques, petits et grands. Il est remarquable que ces derniers soient les seuls, notoriété mise à part, à pouvoir s'exprimer publiquement sur tout et rien sans qu'on juge à priori qu'ils outrepassent leurs compétences. Signe qu'il existe encore dans les consciences quelque chose comme un espace public où tout le monde peut donner son avis pourvu qu'on fasse métier d'occuper cet espace ou qu'on soit mandaté pour le faire. Il arrive pourtant que ces conditions n'apparaissent pas nécessaires, lorsque les médias descendent dans la rue pour confirmer aux yeux de tous le droit de chacun à la parole publique : monsieur et madame tout le monde deviennent pour un instant, par la grâce des ondes, des représentants qualifiés de l'opinion, dûment autorisés à dire ce qui leur passe par la tête sans faire injure à la hiérarchie du savoir. Imaginairement, c'est alors la citoyenne ou l'électeur qui s'expriment. La scène de rue (comme le sondage) confirme l'idée sous-jacente au droit de vote : chacune et chacun a son mot à dire.

Ce n'est pas par hasard que les difficultés qui entourent la définition de l'intellectuel débouchent sur la question de la citoyenneté. Définir le citoyen en tant que membre agissant de la collectivité, et non pas seulement comme une personne qui dispose du droit de vote, n'est pas plus facile que de brosser le portrait de l'intellectuel. L'intellectuel et le citoyen, s'ils signifient quelque chose, renvoient tous deux à l'espace politique, au lieu commun. Si un tel lieu n'existe pas, il n'y a pas plus de place pour l'un que pour l'autre. S'il n'y a pas de citoyens, l'intellectuel n'a personne à qui parler ; et si l'intellectuel n'a pas droit de cité, ce n'est pas la peine d'être citoyen. À la limite, tout citoyen est un intellectuel en puissance ; de même tout intellectuel parle en tant que citoyen. L'exercice de la citoyenneté, c'est-à-dire la participation réfléchie à la vie et aux choix de la collectivité, nécessite une réelle capacité de jugement, un sens critique développé, des convictions éprouvées, la lucidité dans l'engagement, un effort d'information personnel ; toutes choses qu'on a de la peine à trouver chez la majorité des députés et qu'on serait heureux de voir plus souvent à l'œuvre chez maint ministre. Autant dire que pour la plupart des électeurs l'exercice de la citoyenneté est tout simplement impossible, ne serait-ce que pour des questions de temps et de disponibilité. Compte tenu de ces exigences, on pourrait être tenté de définir l'intellectuel comme un citoyen qui a le temps et la possibilité de réfléchir. Mais cette définition risque d'accréditer l'idée que les intellectuels forment une catégorie de gens sûrs d'eux-mêmes chargés d'éclairer le reste des citoyens, trop occupés à vaquer à leurs affaires ou à assurer leur survie. Or, de notre point de vue, l'activité de l'intellectuel ne saurait se ramener à une fonction sans constituer une nouvelle forme de spécialisation, fût-ce celle de « généraliste ». Ce qui, idéalement, caractérise l'intellectuel n'est ni un savoir ni une position sociale ; c'est une attitude, c'est une forme d'engagement.

L'engagement est souvent invoqué à tort et à travers comme la marque de l'intellectuel. Cette association ne se fait pas non plus sans raison : l'intellectuel engage quelque chose de sa vie dans sa réflexion politique. Pour lui, pour elle, le politique existe comme une exigence qui a des conséquences sur sa manière d'être, et la politique comme une tâche ingrate et salissante qui met cette exigence en péril. S'il monte sur la scène (ou descend dans l'arène) du pouvoir, il s'y *risque* comme nul autre : il met des convictions en jeu là où la plupart des joueurs placent des intérêts et des ambitions. C'est pourquoi il s'y risque rarement ; c'est pourquoi aussi, s'il s'y risque, il y devient dangereux : trop de conviction au pouvoir justifie tous les excès. L'intellectuel est donc la plupart du temps un politique qui, heureusement, n'est pas au pouvoir. À ce titre, il est engagé sans l'être, *intellectuellement* engagé, comme on dit si bien ; position de confort qui peut lui être justement reprochée, surtout s'il rogne régulièrement au budget de l'État. Cette dépendance fait de lui une sorte de parasite.

L'intellectuel est un parasite à plus d'un égard. D'abord parce que son activité d'intellectuel n'est pas forcément en rapport immédiat avec ce pour quoi il reçoit rémunération. L'exemple typique du professorat permet d'éclairer l'ambiguïté de ce rapport : on peut être professeur, faire très honnêtement son travail d'enseignant (donner ses cours, guider les étudiants, participer à la gestion de l'université) sans être pour autant un intellectuel, voire en s'y refusant scrupuleusement, auquel cas il y a adéquation de principe entre le salaire et le travail ; mais on peut aussi, comme professeur non moins dévoué à sa tâche, assigner à une part de cette dernière son travail d'intellectuel, en décidant notamment qu'enseigner ce n'est pas seulement transmettre un savoir mais aussi le mettre radicalement en question, mais aussi ébranler le socle des idées reçues, quand bien même il ne serait pas certain que l'on soit payé pour le faire. D'aucuns pourraient en effet juger cet aspect du travail comme illégitime et parasitaire. Ce qui nous amène au deuxième aspect du parasitisme intellectuel : par définition, le rôle politique de l'intellectuel, sans égard à la manière dont par ailleurs il gagne sa vie, est de s'inscrire en parasite de la société. Quel que soit son métier, la spécificité de l'intellectuel consiste à réfléchir dans la marge, en dessous, à côté, voire au cœur même du social, mais comme un virus qui dérange, qui change les codes, qui *décode*. Cette activité de décodage, néanmoins, doit commencer par soi-même ; exigence qui pose sous un jour différent la question cruciale de l'engagement.

L'engagement ici n'a rien à voir avec le militantisme, même s'il peut y conduire – pas d'équation nécessaire, ni non plus impossible, entre militant et intellectuel. De façon plus générale, l'engagement n'est pas forcément, comme on le présente presque toujours, le résultat de la réflexion politique. Il en est, il en devrait être le premier objet : c'est ce qu'affirme l'intellectuel auquel j'aspire. Et ce n'est pas par hasard qu'ici, soudain, je dis « je ». L'intellectuel est celui qui dit « je » ; celui, plus exactement, qui désire dire « je » en meilleure connaissance de cause. Tel est le sens de ma réflexion sur l'engagement. Je renverse les termes : ce n'est pas la pensée qui mène à l'engagement ; c'est *d'abord* l'engagement qui donne à réfléchir. Chacun de nous, qu'il le veuille ou non, est engagé, c'est-à-dire en situation dans le monde. Et le politique commence là. Qu'est-ce qui m'a fait ? Où suis-je ? Quel est ce « nous » auquel j'appartiens malgré moi ? Est-il le « nous » auquel je voudrais pouvoir adhérer ? Bref, pour l'intellectuel que je tente de devenir, le politique commence par la mise en cause des identités reçues qui nous composent, moi et la collectivité à laquelle bon an mal an j'appartiens.

L'intellectuel est cette part de moi-même qui réfléchit sur ma situation dans le monde. Une part de moi-même que j'aimerais appeler « avisée ». Non pas avisée d'elle-même, mais avisée de ce que tout questionnement du monde commence par un questionnement sur soi-même. Question de prudence, d'ouverture, de méthode. Et antidote contre le cynisme : s'interroger sur soi dans le monde fait de notre présence au monde une aventure inépuisable. Mon savoir commence par moi-même, il y revient toujours. Si je n'y reviens pas constamment, je me perds, et si je me perds, « je » n'a plus rien à dire. Et aucune science, aucune technique, aucune expertise, aucun métier, aucun engagement ne pourront compenser cette perte. Spécialisations et discours ne feront que m'éloigner davantage de mon être. Le moi se gonflera de tous les attributs qu'on voudra, il augmentera le parc de ses biens et de ses mérites, il accumulera richesses, honneurs, considération, mais *je ne serai pas*. Et si je ne suis pas, il n'y a aucun moyen que je devienne citoyen. Je ne serai véritablement relié à rien.

À la lumière des exigences de la citoyenneté, le politique se présente donc comme un défi insurmontable. Tenter de définir l'intellectuel comme un citoyen qui voudrait être digne de ce nom nous ramène à toutes les difficultés que nous n'avons cessé d'évoquer dans cet ouvrage en parlant de l'identité, de la nation, du religieux, du politique et du savoir. Si j'ai tant de peine à devenir citoyen, à connaître ce qui me relie à la communauté humaine comme à la vie, comment puis-je espérer voir advenir le politique ? Je dois vivre en effet sans cet espoir. Rien ne nous garantit que l'humanité parviendra à se dépasser. Et je n'ai pas besoin de cette espérance. Je ne compte pas pour rien la liberté de réfléchir en dépit de tous les obstacles qui, à l'intérieur comme à l'extérieur, entravent le chemin de la pensée ; je ne compte pas pour rien non plus que cet espace de réflexion auquel je participe avec d'autres m'aide à vivre et contribue, même infinitésimalement, à changer les choses. Chaque pensée fait partie du monde et contribue à faire du monde ce qu'il est.

ÉLÉMENTS DE BIBLIOGRAPHIE PAR CHAPITRE

Les quelques indications bibliographiques qui suivent n'ont d'autre but que de faciliter aux lectrices et aux lecteurs l'accès à des travaux susceptibles d'enrichir leurs connaissances. Cette sélection, présentée chapitre par chapitre, ne reflète pas nécessairement les vues exprimées dans le présent ouvrage. Ont été retenus parmi les travaux pertinents que nous avons repérés ceux qui sont disponibles en français, accessibles à un public non spécialisé, relativement récents ou, déjà, classiques. Ces critères sont loin d'être à toute épreuve : étant donné le caractère très restreint de cette sélection, ils ne nous mettent pas à l'abri d'éventuelles omissions, certaines délibérées, d'autres involontaires. Nous avons assorti les titres d'un très bref commentaire destiné à préciser la nature de l'ouvrage retenu. Cette bibliographie a été établie avec l'aide de Chantal Lapointe. C'est avec plaisir que je la remercie ici de sa précieuse contribution.

CHAPITRE 1

IDENTITÉ, ALTÉRITÉ ET QUESTION NATIONALE

BIDART, Pierre (1991). *Régions, Nations, États,* Paris, Publisud, 209 p.

Étude des processus identitaires nationaux et régionaux envisagés dans leur perspective historique en France, en Espagne et aux États-Unis.

CITRON, Suzanne (1989). *Le mythe national, l'histoire de France en question,* Paris, Les Éditions ouvrières, Études et documentation internationales, 334 p.

Témoignage sur la façon dont une histoire fabriquée à partir de mythes, événements et personnages choisis, participe à la construction de l'identité nationale. Réquisitoire en faveur d'une révision de cette histoire mythifiée, dont l'acceptation irréfléchie constitue un obstacle au questionnement identitaire.

ESPACES 89, *L'identité française,* Paris, Éditions Tierce, 220 p.

Interrogation par des intellectuels de toutes disciplines sur l'identité de la France, sur le Je, *le* Nous, *les racines, les Anciens, les immigrants, les différences, le racisme, l'histoire, la nation, la république, les nouvelles technologies, la biopolitique.*

GELLNER, Ernest (1989). *Nations et nationalismes*, Paris, Payot, 208 p.

Insatisfait d'une définition exclusivement ethnique ou purement subjective de la nation, Gellner tente de cerner, à partir de l'expérience européenne, la situation historique à partir de laquelle la nation s'impose comme communauté de culture plus vaste grâce à laquelle se fait la transition vers l'âge du nationalisme, c'est-à-dire vers la mise en œuvre du principe selon lequel « l'unité politique et l'unité nationale doivent être congruentes ». Cette coïncidence entre la souveraineté étatique moderne et la nation n'est possible que lorsque « les conditions sociales générales conduisent des masses entières de populations vers de hautes cultures standardisées ». Ces conditions s'apparentent évidemment aux nécessités de la société industrielle, et la nouvelle unité à laquelle les individus s'identifient est le plus souvent inventée par les élites du centre au détriment des cultures locales et régionales.

GUIOMAR, Jean-Yves (1990). *La Nation entre l'histoire et la raison*, Paris, La Découverte, Coll. Armillaire, 202 p.

Réflexion historique sur les origines du concept moderne de la nation et sur les diverses fortunes aujourd'hui de la forme État national dans le monde. Avec la Révolution française la nation apparaît comme « réalité d'ordre public placée en position souveraine au-dessus d'un ordre social qui demeure fondé sur l'ordre privé ». Avec elle aussi advient « le droit des peuples à disposer d'eux-mêmes » dans sa double acception : au plan interne, comme fondement de la démocratie, au plan international comme droit à l'auto-détermination.

HOBSBAWM, Éric (1992). *Nations et nationalisme depuis 1780 : programme, mythes, réalité,* Paris, Gallimard, 249 p.

Examen critique des concepts de nation et de nationalisme entrés en usage voici plus de deux siècles. Examen de leur évolution à partir de leur « sens premier », lui-même problématique. Échos que ces concepts ont eus au sein des différentes populations et divers gouvernements, et desseins contradictoires qu'ils ont servis au cours de l'histoire. Leur pertinence à l'ère de la mondialisation et de l'immigration.

KHOURI, Nadia (dir.) (1992). « Discours et mythes de l'ethnicité », *Les cahiers scientifiques,* n° 78, Association canadienne-française pour l'avancement des sciences, Montréal, 231 p.

Recueil de textes sur la construction de l'ethnicité.

RIOUX, Marcel et Susan CREAN (1980). *Deux pays pour vivre, un plaidoyer*, Montréal, Éditions Saint-Martin, 117 p.

Plaidoyer pour que le Québec et le Canada se reconnaissent et s'appuient mutuellement pour préserver leur autonomie culturelle respective face au danger de l'hégémonie des États-Unis.

SLOTERDIJK, Peter (1987). *Critique de la raison cynique*, Paris, Christian Bourgois, 663 p.

Voir surtout ici sa « Critique de l'apparence privée » (p. 90-108), regard lucide sur la formation des identités individuelle et collective. Sur l'œuvre en général, voir la bibliographie du chapitre 4.

TAYLOR, Charles (1992). *Rapprocher les solitudes, Écrits sur le fédéralisme et le nationalisme au Canada,* avec une présentation de Guy Laforest, Sainte-Foy, Presses de l'Université Laval, 233 p.

Série de textes circonstanciels sur l'identité collective, la nation, l'État, le fédéralisme, la réforme constitutionnelle, l'intelligentsia, dans leur relation à la situation au Québec et au Canada.

WEINMANN, Heinz (1987). *Du Canada au Québec : Généalogie d'une histoire,* Montréal, L'Hexagone, 477 p.

Essai controversé sur l'évolution de l'imaginaire collectif canadien puis québécois depuis le Régime français jusqu'à la crise d'Octobre.

CHAPITRE 2

L'ÉTAT MODERNE DANS LA SOCIÉTÉ MONDIALE

AMIN, Samir (1988). *L'eurocentrisme, critique d'une idéologie*, Paris, Anthropos, 160 p.

Essai sur une théorie de la culture, dans lequel la modernité est considérée comme un programme à réaliser dont l'Occident n'a pas le monopole.

BEAUD, Michel (1981). *Histoire du capitalisme, de 1500 à nos jours*, Paris, Seuil, 357 p.

Histoire économique, politique, idéologique des cinq derniers siècles. Étude des multiples aspects de l'évolution du capitalisme et de l'influence tantôt créatrice, tantôt destructrice qu'il a eue sur le développement du système mondial.

BEAUD, Michel (1987). *Le système national mondial hiérarchisé*, Paris, La Découverte, 133 p.

Insatisfait des différentes approches de l'économie politique, qui ne suffisent pas à rendre compte de la complexité croissante de l'imbrication du national et de l'international, Beaud propose une démarche qui tente de « réintégrer dans une même analyse le national, l'international, le multinational, le mondial ». Cette démarche prend en considération deux logiques de production et de reproduction autonomes et interreliées : la formation sociale nationale (constituée de la société civile et de l'État-nation) et le capitalisme.

BRAUDEL, Fernand (1979). *Le Temps du monde*, Paris, Armand Colin, 607 p.

Troisième tome d'une magistrale trilogie intitulée Civilisation matérielle, économie et capitalisme, XVe-XVIIIe siècle, *qui porte sur les grands mouvements économiques et politiques qui ont contribué à l'expansion de l'Europe, à l'avènement de la modernisation, de l'industrialisation et de l'économie mondiale. Un grand classique très richement documenté.*

ELIAS, Norbert (1975). *La dynamique de l'Occident* (paru pour la première fois en 1939), Paris, Calmann-Lévy, Press Pocket, 320 p.

Un classique qui s'attache à montrer comment, à partir d'un noyau de pouvoir modeste à ses origines, naît un monopole politico-militaire royal absolutiste sous l'action duquel se constitue l'État territorial qui va servir de base à l'État moderne.

HABERMAS, Jürgen (1988). *Le discours philosophique de la modernité,* Paris, Gallimard, 484 p.

Douze conférences relativement accessibles sur les fondements philosophiques de la modernité et les débats qu'ils suscitent de Hegel à Foucault, avec les vues de Habermas lui-même (voir surtout la première conférence pour ses conceptions générales et pour sa distinction entre modernité et modernisation).

HENTSCH, Thierry, Daniel HOLLY et Pierre-Yves SOUCY (1983). *Le Système mondial, rapports internationaux et relations internationales,* Montréal, Nouvelle Optique, 300 p.

Un recueil de textes qui peut encore servir en raison de ses références aux classiques du marxisme, bien que certains aspects de sa problématique des rapports internationaux soient dépassés, notamment en raison des changements intervenus à l'Est.

POLANYI, Karl (1983). *La grande transformation* (paru pour la première fois en 1944), Paris, Gallimard, 419 p.

Un grand classique non orthodoxe sur la révolution industrielle, qui insiste sur le rôle joué par l'État dans cette « grande transformation ».

WALLERSTEIN, Immanuel (1980). *Le système monde du XVe siècle à nos jours,* Paris, Flammarion.

*Un essai de théorisation parfois un peu difficile inspiré par les travaux de Braudel (*cf. *ci-dessus).*

WEBER, Max (1991). *Histoire économique, Esquisse d'une histoire universelle de l'économie et de la société* (paru pour la première fois en 1923), Paris, Gallimard, 431 p.

Série de conférences qui abordent différents thèmes relatifs à l'histoire économique en général et qui s'attachent plus particulièrement aux conditions de la naissance du capitalisme moderne en Occident. Bien que nourrie d'histoire et influencée par Marx, la pensée de Weber se veut avant tout sociologique et met en question le primat de l'économie. À ses yeux, celle-ci doit rester subordonnée au politique. Que cette subordination soit un vœu ou une réalité, les réflexions de Weber doivent une grande partie de leur intérêt à ce souci du politique.

CHAPITRE 3

LE POLITIQUE ET LE RELIGIEUX

BARBIE, Maurice (1987). *Politique et religion,* Nancy, PUF, 256 p.

Analyse de la pensée politique des auteurs classiques sur la relation entre politique et religion.

DEBRAY, Régis (1980). *Le Scribe,* Paris, Grasset, 340 p.

À travers l'examen de la fonction du scribe, du clerc, de l'intellectuel, c'est aussi la relation entre le religieux et le politique que scrute Debray, surtout dans les deux premiers chapitres.

ÉLIADE, Mircea (1965). *Le sacré et le profane*, Paris, Gallimard, Coll. « Idées », 186 p.

Introduction à l'étude des faits religieux spécifiquement conçue pour un public non spécialisé. À travers la phénoménologie de l'homme religieux, Éliade aborde aussi la question du profane en tant que nouvelle expression du sacré dans les sociétés contemporaines. Il remet en cause la dichotomie familière qui sépare l'un de l'autre.

FIGUIER, Richard (dir.) (1992). *Dieux en sociétés : le religieux et le politique*, Paris, Éditions Autrement, Série Mutations, n° 127, 180 p.

Recueil de textes orientés vers un examen des rapports entre religion et politique qui ne se contente pas de délimiter les territoires entre les deux instances, mais qui observe les « déplacements » de l'une à l'autre et qui s'attache à la « permanence du théologico-politique » dans le temps et dans l'espace.

GAUCHET, Marcel (1989). *Le désenchantement du monde, une histoire politique de la religion,* Paris, Gallimard, 306 p.

Le religieux contribue si fortement à façonner la collectivité qu'il est inséparable du politique et de l'État, du moins jusqu'à l'avènement de nos sociétés occidentales modernes. D'être confiné à la sphère individuelle, toutefois, le religieux n'évacue pas la question de l'être qui continue au contraire à nous remuer plus douloureusement que jamais de ce que nous habitons un monde désenchanté. Dans cette perspective occidentalo-centriste, le christianisme apparaît immanquablement, dans sa « spécificité révolutionnaire », comme l'instrument religieux de la sortie de la religion.

KEPEL, Gilles (dir.) (1993). *Les politiques de Dieu*, Paris, Seuil, 301 p.

Recueil de textes qui abordent les mouvements politico-religieux contemporains sous diverses latitudes et dans leurs multiples dimensions. Les mouvements étudiés ont pour tendance commune la remise en cause de l'ordre social existant. Leur compréhension nécessite l'abandon des clivages habituels entre avant et après, tradition et modernité, religion et sécularisation.

KÜNG, Hans (1981). *Dieu existe-t-il ?*, Paris, Seuil, 929 p.

Refaisant le chemin de l'histoire des temps modernes et reprenant les contributions des penseurs des siècles derniers, le célèbre théologien contestataire cherche à comprendre d'où vient la crise de la foi et tente de proposer une réponse à la grande question, s'il en est une : Dieu existe-t-il ?

« Le religieux dans le politique », *Le genre humain,* n° 23, Paris, Seuil, 150 p.

Textes portant sur des sujets assez divers dans le temps et dans l'espace mais qui s'intéressent eux aussi à la « permanence du théologico-politique ». En particulier : une réflexion de J.-P. Vernant sur son expérience d'historien des religions et un débat assez vif entre E. Terray et M. Gauchet sur Le désenchantement du monde *(répertorié ci-dessus).*

SHAYEGAN, Daryush (1982). *Qu'est-ce qu'une révolution religieuse ?*, Paris, Les Presses d'aujourd'hui, 260 p. (réédité chez Albin Michel en 1991).

Bien que Shayegan s'intéresse essentiellement au désarroi du musulman et de l'homme religieux traditionnel, son questionnement concerne aussi par ricochet l'homme occidental moderne.

CHAPITRE 4

LE POLITIQUE ET LE SAVOIR

ALPHANDÉRY, Pierre, Pierre BITOUN et Yves DUPONT (1991). *L'équivoque écologique*, Paris, La Découverte, 279 p.

L'écologisme a multiplié ses adeptes depuis quelques années, au risque de devenir gobe-tout. Les voies les plus contradictoires peuvent êtres défendues en son nom et mener qui vers une civilisation post-industrielle artificialisant le réel, qui à un retour aux mythologies traditionalistes en proie aux nationalismes autoritaires. Les auteurs proposent ici une voie mitoyenne qui encouragerait un questionnement, une redéfinition des besoins et du rapport de l'humain à la nature, une voie qui ne sacralise ni ne propose de gérer la nature mais qui impose une certaine éthique.

BEAUCHAMP, Colette (1987). *Le silence des médias*, Montréal, Les Éditions du Remue-ménage, 281 p.

Un réquisitoire contre les médias de masse et la désinformation dont ils abreuvent le public. Une dénonciation du rôle des médias dans la reproduction du système et des inégalités sociales et quant à l'exclusion des femmes de la tribune.

BENDA, Julien (1927). *La trahison des clercs,* Paris, Grasset, 306 p.

Réquisitoire devenu classique contre les intellectuels qui s'engagent au service d'un pouvoir laïc ou religieux, qui se laissent prendre par le sentimentalisme et qui abandonnent leur mission primordiale : défendre les principes universels de la raison, de la justice et de la démocratie.

BLANCKAERT, Claude (dir.) (1993). *Des sciences contre l'homme*, vol. I : *Classer, hiérarchiser, exclure*, Paris, Éditions Autrement, Série « Sciences en société », n° 8, 186 p. (vol. II : *Au nom du bien*, à paraître).

Recueil de textes visant à montrer comment les sciences humaines contribuent, directement ou indirectement « à forger des convictions contraires à l'égalité, à la liberté et à la fraternité des hommes ».

CHOMSKY, Noam (1968). *L'Amérique et ses nouveaux mandarins,* Paris, Seuil, 333 p.

Sur fond de guerre au Vietnam, Noam Chomsky présente quelques conférences au cours desquelles il met en cause la politique américaine et déplore le point de vue technique adopté par les analystes devant un tel événement. Il dénonce l'asservissement et la complicité des intellectuels face au pouvoir et met en garde contre la tendance à la spécialisation du savoir qui fait de ses détenteurs des techniciens inaptes à saisir la réalité globalement.

DEBRAY, Régis (1986). *Le pouvoir intellectuel en France*, Paris, Ramsay, 346 p.

Sociologie historique, voire « zoologie » du clerc et de l'intellectuel en France. Tentative d'éclairer « par le bas » la fonction sociale et politique de l'animal intellectuel que Le Scribe *(cf. la bibliographie du chap. 3) tente de saisir « par le haut ». L'histoire de l'intellectuel commence avec Hegel, découvreur de « l'individualité qui se sait elle-même réelle en soi et pour soi-même ».*

FERNÉ, Georges, (dir.) (1992). *Science, pouvoir et argent*, Paris, Éditions Autrement, Série « Sciences en société », n° 7, 217 p.

Un recueil de textes rédigés par des scientifiques, des économistes, des chercheurs et des professeurs, traitant de la science actuelle, de ses liens avec le pouvoir, avec l'économie, et de son autonomie de plus en plus menacée par les règles du marché.

FERRY, Luc (1992). *Le nouvel ordre écologique, l'arbre, l'animal et l'homme*, Paris, Grasset, 277 p.

Après avoir mis en relief les différents courants écologistes, environnementalistes et radicaux, l'auteur analyse la portée philosophique de leur remise en cause de la société. L'approche modérée des écologistes réformistes, qui défendent une position humaniste anthropocentriste, laisse transparaître quelques incohérences quant à l'attitude à adopter face aux innovations technologiques. Mais, selon l'auteur, l'approche radicale, en favorisant la défense de la nature avant toute chose, dévalorise ce qui distingue l'humain des autres éléments et risque ainsi de mettre en péril les manifestations de l'esprit et de la culture.

FINKIELKRAUT, Alain (1987). *La défaite de la pensée*, Paris, Gallimard, 186 p.

Mise à jour soixante ans plus tard des thèses de Benda. Défense et illustration de l'universalisme de la raison moderne et des valeurs démocratiques contre le relativisme culturel, les particularismes aveugles et les exotismes faciles.

GUATTARI, Félix (1989). *Les trois écologies*, Paris, Galilée, 73 p.

Un plaidoyer pour que l'écologie sorte de son carcan technocratique, pour qu'elle englobe non seulement la dimension environnementale mais aussi les dimensions sociale et humaine des problèmes.

HABERMAS, Jürgen (1973). *La technique et la science comme idéologie, la fin de la métaphysique*, Paris, Gallimard, Coll. « Tel », 211 p.

Étude historique de la relation entre le développement des techniques et l'évolution des pratiques sociales. Réflexion sur les limites que la rationalité technocratique impose à la formation du consensus social dans les sociétés techniciennes.

JACQUARD, Albert (1982). *Au péril de la science ?*, Paris, Seuil, 220 p.
Refusant la « sciençolatrie » comme la « sciençophobie », Jacquard trace les limites du savoir scientifique et passe en revue les multiples pièges de la science : pièges du nombre, pièges de la classification, pièges des mots. Le véritable rôle de la science n'est pas de donner des réponses « mais d'imaginer des questions pertinentes ». Il faut rester vigilant face à la puissance de manipulation qu'elle procure.

JACQUARD, Albert (1991). *Voici le temps du monde fini*, Paris, Seuil, 180 p.
Histoire de la pensée technique et scientifique, avec les bouleversements qu'elle a entraînés dans nos concepts fondamentaux. Réflexion sur les dangers que cette évolution fait courir à une humanité politiquement peu préparée à y faire face.

JAUBERT, Alain et Jean-Marc LÉVY-LEBLOND (1975). *Autocritique de la science,* Paris, Seuil, 311 p.
Des textes de chercheurs, de techniciens, d'étudiants en sciences expérimentales, réunis dans un volume pour témoigner de la crise. Une crise qui n'affecte pas spécifiquement la science mais bien la société tout entière dont la science ne peut être détachée comme si elle jouissait d'un développement autonome. La science n'est pas neutre mais tributaire du politique et miroir de notre société.

JURDANT, Michel (1984). *Le défi écologiste*, Montréal, Boréal Express, 432 p.
Un livre dans lequel l'auteur veut réhabiliter l'écologie et en faire la base d'un projet de société. Un projet qui ne fasse pas fi des inégalités et qui n'attende pas de la science et de la technologie qu'elles règlent tous nos problèmes mais qui défende l'adoption d'un nouveau mode de vie. Un projet qui fasse l'éloge de la conscience et de la responsabilité des individus face à leur devenir, qui favorise la croissance de l'être humain et s'insurge contre les inégalités.

LOURAU, René (1981). *Le lapsus des intellectuels,* Toulouse, Privat, 293 p.
Généalogie de l'intellectuel de gauche, de l'affaire Dreyfus jusqu'à nos jours. Portraits de certains intellectuels européens. Critique du « lapsus » par lequel l'intellectuel, enclin à dénoncer le pouvoir des autres, oublie de se regarder lui-même et d'analyser sa fonction organique. L'honnêteté intellectuelle est néanmoins possible.

SARTRE, Jean-Paul (1972). *Plaidoyer pour les intellectuels*, Paris, Gallimard, Coll. « Idées », 117 p.

Deux conférences sur la définition et le rôle des intellectuels considérés dans leur spécificité : se mêler de ce qui ne les regarde pas. Avec un troisième exposé plus particulièrement consacré à la situation de l'écrivain.

SERRES, Michel (1990). *Le contrat naturel*, Paris, Éditions François Bourin, 193 p.

Texte de nature philosophique dans lequel Michel Serres plaide, notamment, pour que la nature soit considérée comme un sujet de droit.

SLOTERDIJK, Peter (1987). *Critique de la raison cynique, op. cit.* sous chap. 1.

Cette monumentale fresque sur les limites et les désillusions de la raison dépasse évidemment la seule question du savoir et du politique. Celle-ci reste néanmoins centrale à toute la démarche de l'œuvre, qui est une invite à penser autrement, sans abandonner pour autant tous les acquis de la raison. L'auteur ne cesse au contraire de se demander à quelles conditions une vue éclairée et non cynique du monde reste possible.

WEBER, Max (1963). *Le savant et le politique,* Paris, Union générale d'éditions, 185 p.

Réflexions sur le métier et la vocation du savant d'une part, de l'homme politique d'autre part. Le premier tend à désenchanter le monde. Le second est déchiré entre deux éthiques contradictoires : celle de la responsabilité et celle de la conviction.

Achevé d'imprimer
en août 1993 sur les presses
des Ateliers Graphiques Marc Veilleux Inc.
Cap-Saint-Ignace (Québec).